Psychoakustické testy v stavebnej akustike

Monika Rychtáriková

Kniha prináša prehľad problematiky v oblasti posluchových testov pri posúdení zvukovej izolácie stien, prehľad psychoakustických metód, základné informácie o posúdení vzduchovej nepriezvučnosti a výsledky výskumu v súvislosti s návrhom novej jednočíselnej veličiny pre posúdenie medzibytových stien.

Recenzenti: Štefan Rychtárik a Vojtech Chmelík

ISBN 978-80-971993-6-4
EAN 9788097199364

Mojej babičke, ktorá ma vždy vedela vypočuť, povzbudiť a rozosmiať.

Predslov

Túžba človeka po kráse, pravde, slobode, šťastí či láske patrí nesporne medzi základné otázky každého ľudského bytia. Túžba vytvárať niečo pekné, čo nás oslovuje v celej našej hĺbke, sa azda najlepšie odzrkadľuje v umení, kde krása nie je len súčasťou diela, ale často je jej najdôležitejšou vlastnosťou a cieľom. Príťažlivosť krásy sa však súčasne pohybuje po paradoxnej trajektórii: čím je niečo krajšie, tým viac odkazuje na čosi iné, čosi následné. Táto skutočnosť sa pre nás často stáva výzvou k hľadaniu a objavovaniu nových vecí a súvislostí, k hľadaniu čohosi, čo je mimo toho, čo sa nám bezprostredne zjavuje (Giussani 1999).

Podstata prírodných vied spočíva aj v objavovaní pravdy a krásy, avšak v inom slova zmysle než v umení. Vedec sa obyčajne sústreďuje na odhalenie pravdy o určitom skúmanom jave, či zázračne fungujúcom systéme, v ktorom jednotlivé objavené fakty logicky zapadajú do seba, pričom sa ani tento proces nekončí samotným objavom. Práve naopak, získané poznatky nám zakaždým otvárajú nové horizonty a stavajú nás pred ďalšie nové výzvy. Odkazujú na čosi, čo presahuje možnosti a schopnosti ľudského rozumu.

V technických smeroch často prevláda snaha spojiť estetické s funkčným, čo si vyžaduje úzku spoluprácu medzi architektom, dizajnérom, inžinierom, investorom a pod. Nádherná stavba, auto, či kreslo u zubára je nevyhnutne výsledkom tímovej práce, vzájomného rešpektu a komunikácie medzi zástupcami jednotlivých špecializácií. Kvalitný výsledok teda nie je len produktom inteligencie a úspešnosti jednotlivcov, ale spočíva aj v určitej pokore a skromnosti, bez ktorej nie je možné počúvať jeden druhého a skĺbiť tak poznatky do vyváženého diela. Pri kvalitnom návrhu teda nezohráva úlohu len odbornosť a profesionálna úroveň jednotlivých špecialistov. Tá je len jednou z podmienok. Rovnako dôležitá je práve mentalita spoločenstva a pracovného tímu, ktorý objekt navrhuje. Typickým príkladom nevyváženosti objektov, v ktorých prevládla povrchná funkčnosť a rýchlosť výstavby nad estetickosťou a technickou kvalitou sú stavby socialistického realizmu. Sú príkladom necitlivého zásahu a tlaku politickej atmosféry do inžinierskej práce a odzrkadlením nezdravej ideológie a diktatúry, ktorou komunizmus nepochybne je.

Ak sa pozrieme do minulosti uvidíme, že stupeň inteligencie bol už v rannom vývoji človeka a civilizácie úzko spojený s rozvojom reči a hudby. Hudba dodnes pravdepodobne patrí k najabstraktnejším druhom umenia, čím dáva každému človeku možnosť vnímať ju vlastným originálnym spôsobom. Hudba na nás obyčajne pôsobí priamo a nemusí vždy vyvolať konkrétne predstavy ako je to napr. pri vizuálnom umení. Analogicky i v architektúre a stavebníctve patrí akustika azda k najabstraktnejším odvetviam. Zvuk, ktorý nás obkolesuje je neviditeľný, nehmatateľný, nedá sa uchopiť v dlaniach alebo zobrať zo sebou. Napriek tomu zvuk pôsobí priamo na naše emócie a náladu. Je známe, že harmonické tóny aktivujú inú časť mozgu než tie disharmonické a vysoké hladiny zvuku dokonca stimulujú vylučovanie adrenalínu do krvi. Akustika v sebe nesie veľmi silný potenciál pri návrhu architektonického diela či urbanistickej zóny, a to najmä v oblasti komfortu.

Príkladom „zabudnutia" akustiky v architektúre je napr. reštaurácia s nedoriešeným dizajnom vnútorných povrchov, nevhodne naprojektovaným dispozičným riešením, vyvolávajúcim následne nepríjemný hluk znemožňujúci normálnu konverzáciu. Ďalším častým prípadom sú moderné a nízko energetické byty v novostavbách, v ktorých počujeme susedov a oni samozrejme nás. Nie každý typ tepelnej izolácie je totiž vhodný aj pre akustické riešenia.

Zabezpečenie akustického komfortu v budovách v štádiu projektovania by mali zaručovať najmä kvalitné technické normy. Harmonizácia a integrácia technických noriem, smerníc a predpisov ako i príprava jednotnej klasifikácie produktov v rámci EU v posledných rokoch neobchádza ani stavebnú akustiku. Metódy merania zvukovej izolácie ako i požiadavky na akustické laboratóriá sa podarilo úspešne zjednotiť už dávnejšie.

Európsky klasifikačný systém pre hodnotenie zvukovej izolácie akceptovateľný väčšinou členských štátov ISO (z angl. International Organization for Standardization) však stále chýba. Spomenutá kategorizácia by pomohla nielen projektantom, súdnym znalcom a politikom, ale i zahraničným investorom pri ich zorientovaní sa na medzinárodnom trhu. Jednou z priorít výskumu v súčasnej stavebnej akustike preto zostáva vyjadrenie kvality zvukovej izolácie stavebného prvku pomocou jednočíselnej hodnoty, ktorá by čo najpresnejšie zodpovedala jej akustickej kvalite a dala sa priamo aplikovať pri klasifikácii produktu.

Jednočíselné hodnotenie má svoje výhody pri rýchlom porovnávaní a v súvislosti s energetickou efektívnosťou sa úspešne využíva už niekoľko rokov. Pri posúdení zvukovej izolácie je však situácia omnoho komplikovanejšia. Akustické vlastnosti každej steny či stropnej konštrukcie závisia od frekvencie a hluk, pred ktorým chceme chránenú miestnosť odizolovať môže mať navyše rôzne frekvenčné spektrum a k tomu ešte aj rôzny časový priebeh a intenzitu.

Konštrukciou prefiltrovaný zvukový signál t.j. zvuk, ktorý zo susednej miestnosti, príp. exteriéru nakoniec počujeme v našej spálni či obývačke je teda závislý od mnohých faktorov. Jeho subjektívne vnímanie je taktiež ovplyvnené našou aktuálnou činnosťou, ktorou môže byť štúdium, varenie, pozeranie televízie či spánok, ďalej vekom, spoločensko-kultúrnym zázemím, alebo aj momentálnym psychickým stavom.

Zvuková izolácia však neslúži len na to, aby nás ochránila pred nežiaducim hlukom, ale dotýka sa i otázok nášho súkromia. Rekonštrukcie fasád bytových domov vďaka výmene okien a pridaniu tepelnej izolácie na báze minerálnej vlny, ktorá pôsobí i akusticky (pozn. polystyrén v konštrukcii dvojitých stien môže zvukovoizolačné vlastnosti niekedy i zhoršiť), pomohla na jednej strane znížiť hluk z exteriéru, avšak vyniesla na povrch nedostatky medzibytových deliacich stien, stropov a hlučných inštalácií. Hluk od susedov sa preto v poslednom období stal omnoho diskutovanejšou témou než hluk z dopravy. A ak počujeme my ich, počujú aj oni nás. Celú situáciu vnímame preto nielen ako narušenie našej akustickej pohody, ale aj ako narušenie nášho súkromia.

Stavebné konštrukcie vo všeobecnosti lepšie izolujú hluk vo vyšších frekvenciách, čo je dané zákonom o hmote (angl. mass law), pričom frekvenčné spektrum, tzv. stupeň vzduchovej nepriezvučnosti R (dB) je pre každú konštrukciu iný. Prenikaniu nízkofrekvenčného zvuku, tzv. basov, obyčajne lepšie zabránia masívne betónové steny a steny z plnej pálenej tehly než konštrukcie na báze sadrokartónu či dreva. Kvalitné dvojité priečky zase často dosahujú vynikajúce zvukovoizolačné vlastnosti v stredných a vyšších frekvenciách dôležitých pre súkromie hovoreného slova a v podstate aj pre väčšinu zvukov odohrávajúcich sa v obytných domoch, z výnimkou HiFi sústav a domácich kín so silnými basovými reproduktormi. Neplatí to však úplne všeobecne. Všetko závisí od mnohých faktorov ako je napr. hrúbka steny, objemová hmotnosť jednotlivých sadrokartónových či drevených dosiek a spôsob ich prepojenia a ukotvenia do celkovej konštrukcie objektu. Nezanedbateľným momentom v celom procese je i kvalita skutočnej realizácie steny na stavbe.

Ako sa teda vysporiadať s týmto komplexným problémom a ako overiť navrhované klasifikačné schémy? Pri revízii alebo návrhu novej hodnotiacej veličiny v oblasti akustiky vnútorného alebo vonkajšieho prostredia, sa ukázal ako neoddeliteľná súčasť vedecko- výskumného procesu posluchový test. Vývoj v oblasti elektroakustiky, audiológie a počítačových simulácií umožňuje realistickú reprodukciu zvukosféry (angl. soundscape) i v laboratórnych podmienkach. Binaurálna auralizácia (tzv. akustická vizualizácia priestoru) v súčasnosti dovoľuje zhodnotiť kvalitu priestorového vnemu, schopnosť lokalizácie zvuku v reálnych i virtuálnych scenáriách. Percepčné testy s využitím auralizácie zvuku so započítaním vzduchovej príp. krokovej nepriezvučnosti pomáhajú predpovedať dôsledky novo navrhovaných nariadení, smerníc či noriem. Posluchové testy (angl. listening tests) si preto našli svoje miesto aj v stavebnej akustike, kde sa stali jedným z nástrojov pri rozhodovaní v oblasti harmonizácie a integrácie európskych a medzinárodných noriem týkajúcich sa jednočíselného hodnotenia a prípravy zvukovoizolačných tried.

OBSAH

1 **Úvod** **11**

2 **Prehľad problematiky v oblasti posluchových testov** **13**

3 **Vnímanie zvuku** **18**
3.1 Počutie a počúvanie s porozumením 19
3.1.1 Počutie alebo ako funguje sluch človeka 19
3.1.2 Počúvanie s porozumením 30
3.2 Sluchové a posluchové testy 32

4 **Psychoakustické testy** **34**
4.1 Úvod 35
4.2 Auralizácia akustickej situácie 35
4.2.1 Pôvodný zvukový signál 35
4.2.2 Propagácia zvuku v danom médiu 37
4.2.3 Prenosová funkcia hlavy poslucháča 39
4.3 Zvukové Stimuly a ich prezentácia 40
4.3.1 Reprodukcia zvuku 40
4.4 Psychoakustické metódy 44
4.4.1 Klasické metódy 45
4.4.2 Škálovacie metódy 48
4.4.3 Testovanie úlohami 51
4.4.4 Psychometrická funkcia 51
4.4.5 Všeobecné zhrnutie 52
4.5 Štatistické kritériá 53
4.5.1 Testovanie štatistických hypotéz 53
4.6 Požiadavky na posluchovú miestnosť 54
4.6.1 Akustické laboratórium pre posluchové testy 54
4.7 Kontext a spoločensko-kultúrne vplyvy 55

5 **Vzduchová nepriezvučnosť** **58**
5.1 Úvod 59
5.2 Šírenie zvuku v stavebnej konštrukcii 59
5.3 Vzduchová nepriezvučnosť 60
5.3.1 Laboratórne merania 61
5.3.2 Merania zvukovej izolácie v budovách 64
5.3.3 Výpočet indexu vzduchovej nepriezvučnosti 66

6 Verba movent, exempla trahunt **70**
6.1 Perceptuálne porovnanie zvukovej izolácie dvoch odlišných stien s rovnakou jednočíselnou hodnotou 71
6.1.1 Stimuly 72
6.1.2 Posluchový test 74
6.1.3 Testované osoby 75
6.1.4 Test 1 75
6.1.5 Test 2 76
6.1.6 Záver 78
7 Záver **79**
Poďakovanie **80**
Zoznam použitej literatúry **81**

1 Úvod

Evolúcia človeka a spoločnosti prináša stále nové, a pre každé obdobie vývoja charakteristické zmeny, ktoré sa postupne odzrkadľujú v rôznych odvetviach. Platí to vo veľkej miere aj pre súčasné stavebníctvo. Dnešná doba výrazne ovplyvňuje nielen architektonický vzhľad zovňajšku budov a ich dispozičné riešenie, ale prichádza aj so zvýšenými nárokmi na komfort, technické parametre a celkový štandard ich užívania

Evolúcia či revolúcia v stavebnej akustike

Nároky a požiadavky na energetickú a akustickú kvalitu bytov sa v posledných desaťročiach zvýšili do takej miery, že súčasné platné normy sa začali postupne ukazovať ako nevyhovujúce a nepostačujúce (Mathys 1993; Rindel 1999; Rindel 2003; Lang 2006). Jednou z veľmi diskutovaných tém sa stala napr. aj otázka započítania nízkych frekvencií (< 100 Hz) do celkového akustického hodnotenia (Mortensen 1999). (pozn. súčasné normy ISO 140 and ISO 717 berú do úvahy zvukovú izoláciu odmeranú v tretinooktávach (od 100 do 3150 Hz).

Revízia medzinárodných noriem radu ISO 717 týkajúcich sa posúdenia akustickej kvality prostredníctvom jednočíselnej hodnoty vyústila v roku 1996 do zavedenia tzv. adaptačného súčiniteľa spektra (angl. spectrum adaptation terms) C a C_{tr}. Následne vzniklo množstvo nových jednočíselných veličín ako napr. R_w + $C_{50\text{-}3150}$,

$R_w + C_{50\text{-}5000}$, $D_{nT,w} + C_{50\text{-}3150}$, $D_{nT,w} + C_{50\text{-}5000}$ a podobne. Aplikácia adaptačných súčiniteľov spektra sa však v inžinierskej praxi vo väčšine krajín EU neujala.

Počas posledných rokov sa tieto otázky znovu otvorili a stali veľmi diskutovanou témou, ktorá napokon vyústila do vytvorenia pracovnej skupiny (NWIP ISO 16717-1) v rámci medzinárodnej organizácia pre normalizáciu ako aj do Európskej networking COST akcie TU 0901 v rokoch 2009-2013 (Rasmussen a Machimbarena 2014). Návrh nových veličín ako tzv. R_{living}, R_{speech} a $R_{traffic}$ vyvolal na akustických fórach, a to najmä v posledných piatich rokoch, búrlivé diskusie, ktoré podnietili potrebu overenia novonavrhovaného jednočíselného hodnotenia (Scholl et al 2011) subjektívnymi metódami.

Viacero akustických firiem, výrobcov sadrokartónových stien a akustických laboratórií totiž upozornilo na fakt, že parameter R_{living} bol navrhnutý príliš unáhlene, bez dôsledného overenia, a preto nemusí úplne vyjadrovať kvalitu zvukovej izolácie z hľadiska vnímania hluku od susedov až do takej miery ako sa očakávalo.

K dobrému sa veci zvyčajne menia postupne a nie revolúciou, tak ako to bolo nesprávne prezentované v komunistickej ideológii. Proces štandardizácie nevyhovujúceho parametra sa našťastie podarilo spomaliť a viacero akustických laboratórií sa rozhodlo uskutočniť posluchové testy, príp. sociologický prieskum v obytných domoch a takto sporný parameter overiť. V rámci COST akcie TU 0901 vznikla pracovná skupina (WG2 – Subjective assesment of sound insulation), ktorej hlavným cieľom bolo odborne sa k danému problému vyjadriť. Väčšina členov pracovnej skupiny sa zhodla na technických parametroch, na kvalite zvukových stimulov pre testy, požiadavkách na akustické laboratória pre posluchové testy a pod. Metodológia vhodná pre posluchové testy v stavebnej akustike však nakoniec ostala otvorenou otázkou a asi najviac diskutovanou témou (final report COST TU 0901).

Koncepcia vhodného psychoakustického testu si vo všeobecnosti vyžaduje nielen multidisciplinárny, ale i interdisciplinárny prístup. Inými slovami je nevyhnutné, aby sa na zostavovaní a kalibrácii testu spolupodieľali nielen skúsení akustici, ale aj psychológovia, príp. audiológovia. Základom úspešného psychoakustického experimentu je bezpochyby starostlivo vybraný set kvalitných zvukových stimulov prezentovaných v profesionálnom akustickom laboratóriu, vhodne zvolená psychoakustická metóda, dostatočný počet respondentov, štatistická analýza a objektívna interpretácia výsledkov.

Z hľadiska experimentálnej psychológie bolo za posledných 5 rokov v oblasti psychoakustického testovania v súvislosti so zvukovou izoláciou uskutočnených niekoľko kvalitných experimentov (Hongisto et al 2014, Ordonez et al 2013, Rychtáriková et al, 2012 a 2013).

2 Prehľad problematiky v oblasti posluchových testov

V tejto kapitole sa budeme venovať prehľadu výskumu uskutočneného v oblasti posluchových testov týkajúcich sa subjektívneho posúdenia zvukovej izolácie. Cieľom kapitoly nie je encyklopedické vymenovanie všetkých psychoakustických testov, ktoré boli vo svete uskutočnené. Ťažiskom tejto kapitoly, podobne ako aj celej publikácie je Európa a európsky výskum. Postupy pri hodnotení zvukovej izolácie na iných kontinentoch, v krajinách ako napr. USA alebo Canada sú totiž často veľmi odlišné a pre tento typ publikácie nie úplne relevantné.

Problematikou posluchových testov v súvislosti s revíziou ISO normy 717 (NWIP ISO 16717-1) sa zaoberalo niekoľko autorov. Jeden, azda z úplne prvých Európskych experimentov posudzujúcich novonavrhovaný parameter R_{living} posluchovými testami, bol uskutočnený na prelome rokov 2010-2011. Výskum sa uskutočnil v Laboratóriu Akustiky na KU Leuven v Belgicku (Rychtáriková et al 2012a) v spolupráci s Versuchsanstalt TGM vo Viedni (Rakúsko). Pokus pozostával z percentuálneho porovnania dvoch rozdielnych stien a to ľahkej sadrokartónovej priečky a ťažkej masívnej steny na báze pieskovcových tehál. Dve vybrané steny boli zvolené tak, aby mali rozdielny priebeh stupňa vzduchovej nepriezvučnosti R, ale rovnaké skóre podľa novonavrhovaného jednočíselného parametra R_{living} = 51 dB [NWIP ISO 16717-1].

Na experimente sa zúčastnilo tridsaťdeväť (39) ľudí, ktorí hodnotili 64 rozličných zvukov (typických pre domácnosti) filtrovaných dvomi spomenutými stenami. Zvukové stimuly o dĺžke 5 sekúnd boli testovaným osobám prezentované pomocou elektrostatických slúchadiel. Experiment bol založený na metóde porovnania párov 2AFC (z angl. paired comparisons with two alternative forced choice). Výsledky tejto štúdie naznačili, že novonavrhované jednočíselné hodnotenie R_{living} nezodpovedá vnímaniu hluku od susedov. Štúdia poukazuje na to, že použitie váhového súčiniteľa „A" v prípade výpočtu novej jednočíselnej hodnoty nie je adekvátne, pretože v prípade hluku od susedov hodnoty akustického tlaku nedosahujú dostatočne vysoké hodnoty na to, aby sme váhový súčiniteľ spektra mohli s úspešnosťou použiť. Na záver štúdie autori konštatujú, že predtým než sa parameter R_{living} skutočne dostane do normy, bude potrebné ho opätovne dôkladne overiť ďalšou štúdiou, pretože výsledky v prezentovanom výskume preukázali vysokú významnosť (signifikanciu) (Rychtáriková et al 2012a). Prezentácia tejto štúdie na rôznych akustických fórach, so zavŕšením na konferencii Euronoise 2012 v Prahe, spustila lavínu diskusií i v rámci pracovnej skupiny ISO a podnietila k ďalším experimentom na báze posluchových testov.

Výskum Marka Horvata (2012a) bol uskutočnený počas jeho STSM (Short term stay mission) stáže na ITA RWTH Aachen v Nemecku, v súčasnosti jednom z najlepších svetových akustických laboratórií v Európe pre oblasť akustických simulácií a reprodukcie zvuku a čiastočne i na jeho domácej inštitúcii v Záhrebe v Chorvátsku. Experimenty boli zamerané na vplyv pomeru signálu k šumu vo vzťahu k výsledkom posluchových testov v sluchátkových experimentoch. Keďže zvukové stimuly pre posúdenie hluku od susedov musia byť prezentované pri nízkych hladinách akustického tlaku (tak, aby zodpovedali skutočnosti) a nie je možné vytvoriť laboratórny priestor s nekonečnou zvukovou izoláciou, je potrebné vedieť, kde sa pri testovaní nachádza hranica pre maximálne pozadie hluku v posluchovej miestnosti. Horvatova práca sa dotýka najmä požadovanej technickej kvality pre akustické laboratória, ktoré sa májú využívať pre posluchové testy zamerané na posúdenie zvukovej izolácie. Výsledky výskumu preukázali, že laboratórne podmienky, v ktorých je miestnosť pre posluchové testy „odhlučnená" systémom miestnosť v miestnosti, sú absolútne nevyhnutné a nestačí teda len jednoduchá „tichá miestnosť" s minimálnym pozadím hluku postačujúcim pre niektoré pokusy v priestorovej akustike.

Horvatov experiment pozostával zo súboru posluchových testov, v ktorých sa autor zameral na prezentovanie hypotetického testovacieho signálu pri rozdielnych, ale dôsledne regulovaných hladinách šumu pozadia. Testovaná osoba mala k dispozícii kontrolku na ovládania a regulovanie hlasitosti. Jej úlohou bolo nastaviť hlasitosť signálu na moment kedy v šume zanikol, a prestal byť počuteľný. Testovací signál a šum boli pripravené pomocou filtrovania typických zdrojových zvukov, s ktorými sa v bytových domoch môžeme stretnúť. Filtre použité v simulácii (potrebné pre prípravu stimulov) boli vybrané tak, aby zodpovedali vzduchovej nepriezvučnosti typických medzibytových deliacich stien.

Na záver bol uskutočnený ešte jeden experiment, v ktorom bol prezentovaný hluk pozadia v laboratóriu za prítomnosti vnútorných zdrojov ako napr. elektroakustické zariadenie, počítač a pod., ktoré boli počas prvého experimentu z miestnosti odstránené.

Výsledky posluchových testov boli analyzované štatisticky a porovnané s objektívne vypočítanými dátami. Štúdia ukázala, že v prípade čo i len minimálneho pozadia hluku nie je možné experimenty vykonať s požadovanou presnosťou. Okrajové podmienky laboratória, t.j. jeho pozadie hluku ovplyvní ináč zvuky impulzného charakteru oproti zvukom stacionárnym. Frekvenčná charakteristika stimulov zohráva pri ich posúdení tiež svoju úlohu. V celkovej analýze sa ako najhoršia alternatíva ukázala situácia, v ktorej bol ako pozadie hluku použitý zvukový záznam z laboratória. Z určitosťou je teda možné konštatovať, že ak sa počas posluchového testu v miestnosti nachádza akékoľvek zariadenie, ktoré vydáva čo i len minimálny zvuk, nemožno výsledky testu považovať za smerodajné.

Vo svojej druhej vedeckej práci sa Horvat et al (2012b) zaoberali vhodnosťou trojdimenzionálnej reprodukcie zvuku a vplyvu hluku pozadia. Testované boli všeobecne známe systémy zvukovej reprodukcie, menovite Ambisonics, Vector-Based Amplitude Panning and Cross-Talk Cancellation, pričom bol zhodnotený najmä ich potenciál využitia vo výskume subjektívneho posúdenia zvukovej izolácie. Autor prináša podrobnú informáciu o výhodách a nevýhodách každého zo spomenutých reprodukčných 3D systémov a na záver ešte porovnáva i reproduktorové systémy so zvukovou reprodukciou pomocou slúchadiel.

Celkovo bolo otestovaných štrnásť modelov uzavretých slúchadiel (viď kapitola 4.3.1 Reprodukcia zvuku), s dôrazom na sledovanie ich vlastností týkajúcich sa útlmu hluku z okolia. Pozadie hluku v tomto experimente bolo založené na reálne odmeraných hodnotách hluku pozadia v priestoroch laboratória, ktoré pripadajú do úvahy ako potenciálne posluchové miestnosti Výsledky a celkové porovnanie je možné nájsť v publikácii Horvat et al (2012b).

Sonia Antunes z výskumného ústavu v Portugalsku uskutočnila v spolupráci s kolektívom akustikov z Dánskeho vysoko renomovaného inštitútu Delta štúdiu efektívnosti pre posúdenie zvukovej izolácie stien prostredníctvom posluchových on-line testov (Pedersen et al 2012). V tomto experimente bol zvážený potenciál narušenia akustickej pohody v bytových domoch hlukom od susedov z hľadiska vzduchovej nepriezvučnosti medzibytových stien. Test pozostával z hodnotenia šiestich simulovaných stien a štyroch typických zvukov od susedov. Experiment bol uskutočnený podľa platnej normy ISO/TS 15666 annoyance scale a zúčastnilo sa ho dvadsaťdva (22) osôb. Približná kalibrácia testu bola založená na vyregulovaní hlasitosti prostredníctvom zvukového signálu fragmentu reči, ktorý mal byť pred začatím experimentu testovanou osobou nastavený na úroveň hlasitosti tak, aby v nej prezentovaný ľudský hlas znel prirodzene. Štúdia ukázala veľkú koreláciu medzi vnímanou hlasitosťou a subjektívnou rušivosťou hlukom od susedov. Priebeh stupňa vzduchovej nepriezvučnosti R' posudzovaných stien tiež vysoko koreloval s potenciálom narušenia akustickej pohody.

Akokoľvek poznajúc závery výskumu Horvata et al (2012a a 2012b) a Rychtáriková et al (2012), výsledky tejto štúdie je možné považovať len za predbežné, keďže experiment mohlo narušiť mnoho neznámych faktorov ako napr. len veľmi približná kalibrácia hlasitosti poslucháčmi, vysoké pozadie hluku (keďže nemáme informáciu o tom v akej miestnosti a za akých podmienok ľudia on-line test prevádzali), kvalita zvukovej karty a slúchadiel účastníka posluchových testov a pod.

Subjektívnym posúdením zvukovoizolačných vlastností rôznych typov konštrukcií fasád budov sa vo svojom výskume zaoberal aj Ordoñez et al (2013). V experimente boli porovnané výsledky troch psychoakustických metód: porovnanie párov s použitím tzv. 2-AFC and dve verzie priameho škálovania (z angl. direct scaling) s využitím tzv. VAS, t.j. vizuálneho spojitého škálovania (z angl. visual analogue scale).

Zvukové stimuly použité v štúdii Ordoñeza boli pripravené filtrovaním nahrávok hluku z dopravy, frekvenčným spektrom priebehu stupňa vzduchovej nepriezvučnosti ISO 140-5 standard. Hlavným záverom tejto štúdie je konštatovanie, že medzi dvomi priamymi škálovacími metódami nebol identifikovaný signifikantný rozdiel. Veľmi podobné výsledky boli zistené pri porovnaní metódy porovnania párov 2AFC a priamej škálovacej metódy s použitím VAC. Dobrá korelácia medzi subjektívnym hodnotením a objektívnym parametrom tzv. stupňom štandardizovanej zvukovej izolácie (D_{AnT}) pre výpočet zvukovoizolačných vlastností obvodovej konštrukcie potvrdila vhodnosť spomenutého jednočíselného hodnotenia pre obvodové plášte.

Tento záver je logický, a zodpovedá i všeobecným skúsenostiam a poznatkom získaným zo sociologických štúdií, pri ktorých hodnoty stupňa štandardizovanej zvukovej izolácie D_{AnT} vo väčšine prípadov zodpovedali sťažnostiam obyvateľov. Napokon však najväčšie diskusie nevzbudili parametre pre posúdenie fasád, ale práve tie, ktoré súžia k posúdeniu vnútorných stien v budovách. Autori štúdie (Ordoñez et al, 2013) v závere konštatujú, že výsledky zatiaľ nemožno považovať za smerodajné, keďže testovania sa zatiaľ zúčastnil len nízky počet respondentov.

Medzi ďalšie štúdie v tejto oblasti patrí laboratórny experiment uskutočnený vo Fínsku (Hongisto et al 2013a), ktorý bol zameraný na posúdenie narušenia akustického komfortu nedostatočnou medzibytovou zvukovou izoláciou. Cieľom výskumu bolo posúdiť šesť (6) jednočíselných typov hodnotení tzv. SNQ (z angl. single-number quantities) pre výpočet vzduchovej nepriezvučnosti. R_{speech}, R_w, R_w + C, R_{living}, R_w + C_{tr}, and $R_{traffic}$.

Testovania sa zúčastnilo dvadsaťšesť (26) osôb. Každý účastník posluchového testu posudzoval 54 rôznych zvukov simulovaných ako deväť (9) rôznych typov zvukov z domácnosti filtrovaných šiestimi (6) rôznymi stenami. Štúdia indikovala, že aj napriek tomu, že R_{speech} and R_w nezodpovedajú vnímaniu narušenia akustickej pohody v obytných domoch dostatočne, momentálne stále lepšie korelujú so subjektívnym vnímaním hluku od susedov než novonavrhovaná veličina R_{living}.

Švédsky kolektív pod vedením Thossona (2013) vykonal laboratórne testy so zameraním na krokovú nepriezvučnosť ťažkej a ľahkej stropnej konštrukcie. Zvukové stimuly boli založené na zvukových nahrávkach v reálnych miestnostiach. Nahrávanie prebehlo pomocou akcelerometra upevneného na stropnú konštrukciu. Signály boli ďalej upravené tak, aby bolo možné posúdiť vplyv zvukovej informácie pod 100 Hz a pod 50 Hz.

Reprodukcia signálov pri posluchových testoch prebehla prostredníctvom reproduktorov so schopnosťou reprodukovať nízke frekvencie do 16 Hz (viď stať 4.3.1). Testovanie prebehlo použitím metódy, v ktorej bol jeden zvuk fixovaný na určitú hladinu pričom hlasitosť druhého signálu bola regulovateľná testovanou osobou tak, aby oba zvuky zneli rovnako príjemne/nepríjemne (1), a aby zneli rovnako hlasno (2).

Hlavným záverom štúdie je, že aj informácia pod 50 Hz je mimoriadne dôležitou pri subjektívnom posúdení, pričom štrukturálne doznievanie konštrukcie na vnímanie nemá významný vplyv.

3 Vnímanie zvuku

Schopnosť človeka vnímať chuť, dotyk, farbu svetla, teplotu, vôňu či farbu zvuku v sebe nesie pozoruhodné črty, ktoré sa stali predmetom výskumu v rôznych odvetviach vedy. Pomocou percepčných testov je možné sledovať jednotlivé kvalitatívne a kvantitatívne črty a získané vedomosti aplikovať do mnohých odvetví lekárskych vied, inžinierskej praxe, potravinárskeho priemyslu, výroby parfumov, oblečenia alebo marketingu.

Ak by sme porovnávali sluchové a zrakové vnímanie človeka, prídeme k záveru, že sluch je jedinečný v mnohých aspektoch, napr. už i vyššou celkovou citlivosťou než zrak. Dynamický rozsah sluchu dosahuje okolo 130 dB, pričom dynamický rozsah vizuálnych vnemov je približne 90 dB.

Frekvenčný rozsah počuteľných zvukov mladého zdravého človeka sa pohybuje medzi 20 a 20 000 Hz. Za pozornosť istotne stojí, že náš sluch dokáže spracovať približne 400-krát širšie frekvenčné spektrum tónov, než vizuálne spektrum medzi červenou (405 THz) a fialovou (790 THz) farbou. Človek je schopný rozoznať viacej než 1300 rozličných tónov, pričom len cca 150 odtieňov svetla. Ľudská schopnosť vnímania výšky tónu a farby zvuku je naozaj pozoruhodná.

Medzi ďalšie unikátne vlastnosti sluchu patrí schopnosť počuť nielen tóny, ale aj intervaly medzi nimi. Ľudia dokážu rozoznať zdvojenie frekvencie, nazývanej tiež oktáva, poltóny (faktor 21/12) alebo celé tóny. Počúvanie si síce vo všeobecnosti vyžaduje čas (typicky dlhší než pri vnímaní obrazu), avšak výnimočnosť sluchu spočíva v jeho schopnosti vnímať i akordy, t.j. zvuky zložené z viacerých tónov súčasne, čo v prípade vizuálneho vnímania farby nie je možné.

3.1 Počutie a počúvanie s porozumením

Z akustického hľadiska rozoznávame fyziologické počutie a počúvanie s porozumením. V angličtine ich tiež rozlišujeme ako „hearing" a „listening". Fyziologický proces počutia (angl. hearing) prebieha prostredníctvom sluchu, jedného z piatich ľudských zmyslov. Môžeme ho opísať ako proces prenosu zvukového signálu na percepčný vnem. Počúvanie (angl. listening), je vnímanie zvuku s porozumením a vyžaduje si našu pozornosť, inteligenciu a zapojenie kognitívnych aspektov. V tejto knike sa bude termín „počutie" vzťahovať na anglický termín „hearing" a „počúvanie" na anglický termín „listening".

3.1.1 Počutie alebo ako funguje sluch človeka

Sluch je v podstate jedným z prvých zmyslových orgánov, ktoré sa u dieťaťa (ešte v čase tehotenstva v tele matky) vyvinú. Stáva sa tak už v období dvanásteho týždňa po počatí. I napriek tomu, že ušnice v tomto období ešte nie sú sformované, dieťa je už schopné rozoznávať jednotlivé vibrácie a rezonancie.

Proces počutia (sluchového vnemu) môže u človeka v zásade prebiehať dvoma spôsobmi a to tzv. vzduchovým (angl. air conduction) a kostným prenosom zvuku (angl. bone conduction).

Proces vzduchového prenosu môžeme v krátkosti opísať ako fyziologický proces, pri ktorom zvukové vlny ktoré dopadnú na ušnicu putujú zvukovodom a pôsobia ako tlaková vlna na ušný bubienok, ktorý sa podľa výšky a intenzity dopadnutého zvuku rozvibruje. Bubienok je v podstate bránou i súčasťou stredného ucha, ktoré sa okrem neho skladá zo sluchových kostičiek (kladivka, strmienka a nákovky) umiestnených v bubienkovej dutine. Táto sústava tvorí orgán, pomocou ktorého sa vibrácie bubienka prenášajú na oválne okienko. Bubienková dutina je vyplnená vzduchom a je prepojená s hrtanom prostredníctvom Eustachovej trubice, ktorá má na starosti vyrovnávanie vonkajšieho a vnútorného tlaku vzduchu. Stredné ucho je vo všeobecnosti zodpovedné za vzduchový prenos zvuku, potrebný pre počutie.

Druhým možným prenosom zvuku u človeka je tzv. kostný prenos zvuku. Pre človeka s normálnym sluchom nemá podstatný význam, avšak pri niektorých poškodeniach sluchu, pri ktorých je vzduchový prenos obmedzený, príp. nefunkčný, je možné využiť kostný prenos aplikáciou elektromechanických prístrojov.

Treťou časťou sluchového orgánu človeka je vnútorné ucho, ktoré sa vo všeobecnosti skladá zo slimáka (cochlea), predsiene a troch polkruhových kanálikov.

Vo vnútornom uchu sa nachádzajú receptory rovnováhy a vlasové bunky upevnené na bazilárnej membráne, ktorá tvorí oporu pre vláskové bunky v Cortiho orgáne. Jednotlivé frekvencie rozoznávame vďaka tomu, že bazilárna membrána má rôzne úseky, ktoré rozkmitávajú rôzne frekvencie. Vlasové bunky majú za úlohu dráždenie receptora s výsledkom vyslania impulzu cez sluchový nerv do spánkového laloku mozgovej kôry (sluchová kôra a sluchová asociačná kôra). Sluchová asociačná kôra napr. zodpovedá za sekundárne spracovanie signálu a interakciu s pamäťou.

Na zamyslenie

Keďže nemôžeme zavrieť naše uši tak ako sa dajú zavrieť oči, počutie je proces, ktorý prebieha bez nášho vedomia, neúnavne 24 hodín denne. Tzv. zvukosféra (angl. soudnscape), v ktorej sa denno denne nachádzame teda môže podstatne ovplyvniť naše emócie, a rôzne zvuky môžu vyvolať rôzne spomienky a ovplyvniť tak náš život.

Aj preto sa snáď v jednej zo slovenských piesní spieva *„Zrak môj i chuť chceli by ma oklamať, ale sluch ma učí pevnú vieru mať..."* JKS pieseň č. 270.

Maskovanie zvuku

Maskovanie zvuku (z angl. sound masking) je jav, s ktorým sa všetci každodenne stretávame. Ide o proces pri ktorom jeden zvuk tzv. maskuje iný buď pri určitých frekvenciách alebo aj celkovo. Väčšina z nás žije v prostredí, v ktorom sa neustále nachádzajú nejaké zvuky. Každý z nás pozná situáciu, keď večer utíchne hluk z dopravy a začneme počuť zvuky, ktoré sme si predtým nevšimli, ako napr. tikot hodín, rôzne i tichšie zvuky od susedov, v extrémnych podmienkach i náš vlastný dych či tlkot srdca. Tieto zvuky sme si počas dňa „nevšimli" preto, lebo boli maskované inými zvukmi. Nemohli sme ich teda z fyziologického hľadiska z pomedzi iných zvukov „vyňať".

Zvuky z vyššou intenzitou prekrývajú tichšie zvuky ak majú podobné frekvenčné a časové zloženie. Maskovanie teda tiež poznáme frekvenčné (angl. frequency masking) a časové (angl. temporal masking).

Frekvenčné maskovanie sa vyznačuje tým, že zvuky s podobnou frekvenciou sú na maskovanie náchylnejšie než zvuky s veľmi rozdielnymi vlnovými dĺžkami, najmä ak nejde o harmonické násobky tónu. Pri harmonických zvukoch ako napr. v hudbe možno maskovanie zvuku popísať ako jav, v ktorom harmonické zložky frekvenčného spektra zvuku ovplyvnia vnímanie frekvencií v ich okolí.

Maskovanie teda prebieha na fyziologickom základe a vysvetľuje sa ako proces prebiehajúci na bazilárnej membráne vnútorného ucha.

Kritické pásma a Barkova mierka

S maskovaním zvuku teda veľmi úzko súvisí rozdelenie bazilárnej membrány na tzv. kritické pásma počutia (z angl. critical bands), ktoré sú charakteristické tým, že akustické javy v rámci jedného pásma sú sluchom vyhodnocované ako celok. V reálnej situácii to znamená, že ak viacero harmonických zložiek jedného zvuku spadne do jedného kritického pásma, budú našim sluchovým aparátom vyhodnocované spoločne. Ak však jedna harmonická zložka s dostatočnou amplitúdou spadne do jedného pásma bude vyhodnocovaná zvlášť. V prípade, že sa v jednom kritickom pásme nachádza viacero harmonických tónov, bude naše ucho tento zvuk vnímať ako drsný (Zwicker a Fastl 1999).

Tab. 1 Barkova mierka a tretinooktávové pásma

číslo	stredná frekvencia (Hz)	hraničná frekvencia (Hz)	šírka pásma (Hz)
		20	
1	50	100	80
2	150	200	100
3	250	300	100
4	350	400	100
5	450	510	110
6	570	630	120
7	700	770	140
8	840	920	150
9	1000	1080	160
10	1170	1270	190
11	1370	1480	210
12	1600	1720	240
13	1850	2000	280
14	2150	2320	320
15	2500	2700	380
16	2900	3150	450
17	3400	3700	550
18	4000	4400	700
19	4800	5300	900
20	5800	6400	1100
21	7000	7700	1300
22	8500	9500	1800
23	10500	12000	2500
24	13500	15500	3500

V psychoakustike, oproti technickej akustike bola zavedená tzv. Barkova mierka (angl. Bark scale), ktorá rozdeľuje počuteľné pásmo do dvadsiatichštyroch (24) pásiem (Tab. 1). Je podobná tretinooktávovému rozdeleniu v technickej akustike avšak tzv. barky nerozdeľujú počuteľné pásmo úplne rovnomerne. V nízkych frekvenciách sú barkove pásma širšie ako vo vysokých.

Časové maskovanie spočíva v neschopnosti ľudského sluchu rozoznať dva zvuky prichádzajúce po sebe, ak ich časový odstup nie je väčší než 50 ms, pričom druhý zvuk je relatívne slabší. Tento jav sa v psychoakustike nazýva dopredné maskovanie (angl. forward masking alebo post-masking). Ďalšou zaujímavosťou je, že ak bude tichší zvuk pred silnejším zvukom prezentovaný len o približne 10 ms skôr, nebude ho možné našim sluchom zachytiť. Časové maskovanie má na svedomí rýchlosť reakcie bazilárnej membrány (Green a McFadden 1997).

Na zamyslenie

K fenoménu maskovania zvuku sa viaže i jedna z hypotéz o tom, prečo „straší" na starých zámkoch. Hypotéza hovorí, že masívne múry v starých hradoch nás izolujú od vonkajšieho prostredia do takej miery, že pozadie hluku v interiéri týchto budov sa približuje k prahu počutia. V danom prostredí teda začneme počuť i zvuky ktoré sú pre nás nové a neprirodzené, ako napr. činnosť našich vnútorných orgánov, cirkuláciu krvi a pod. Navyše, vnútorné úpravy stien, stropov a podláh v interiéroch zámkov sú obyčajne konštruované z akusticky tvrdých a teda zvukovo odrazivých materiálov, ktoré majú za následok viacnásobné odrazy zvuku formujúce tzv. dozvuk (angl. reverberation) . Znamená to, že v niektorých priestoroch, napr. dlhá chodba, i náš „dych" môže doznievať niekoľko sekúnd, čo znamená že jeho odrazy počujeme aj po tzv. „zadržaní dychu". V reálnej situácii by boli tieto neskoré odrazy zvuku maskované pozadím hluku. V extrémne tichých priestoroch s akusticky tvrdými materiálmi aplikovanými na vnútorné povrchy stien, podláh a stropov, môžeme počuť i zvuky spôsobené pohybmi a trením vzduchu o steny, napr. v prípade ľahkého prievanu alebo cirkuláciou vzduchu v uzatvorenej miestnosti vplyvom rozdielnych teplôt vnútorných povrchov a vzduchu v miestnosti.

Takže *„Nebojte sa"*, tak ako neraz pripomínal aj Ján Pavol II vo svojom Veľkonočnom príhovore.

Vnímanie farby zvuku

Schopnosť rozlíšiť či identifikovať farbu zvuku (angl. timbre) má v živote človeka mnoho výhod. Bez tejto schopnosti by sme napríklad nevedeli rozpoznať človeka podľa hlasu (v telefóne) alebo rozoznať jednotlivé hudobné nástroje. Naša osobná skúsenosť nám hovorí, že ak zahráme ten istý tón na dvoch rozličných hudobných nástrojoch, nebude znieť rovnako. Takmer každý človek je schopný rozlíšiť, či bol tón zahraný na husliach, na klavíri alebo na flaute. Je to vďaka tomu, že ten istý zahraný tón má na každom hudobnom nástroji inú farbu (Obr. 1), ktorá spočíva v produkcii relatívnych pomerov vyšších harmonických tónov. Tón zahraný na hudobnom nástroji totiž nikdy nie je čistou sínusoidou, ale je vždy zložením množstva tónov tvoriacich jeho celkovú farbu.

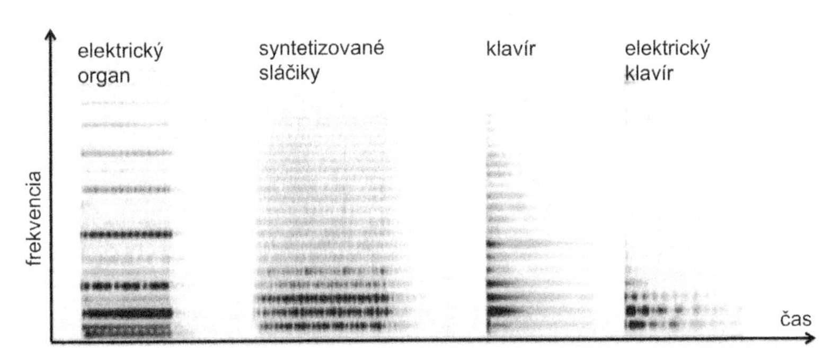

Obr. 1 Spektrogram tónu "C1" zahraného na rôznych hudobných nástrojoch: orgán, sláčiky, klavír a elektrický klavír

Ak napr. zahráme ten istý tón na viacerých typoch toho istého hudobného nástroja, bude nám znieť podobne a len niektorí ľudia (ako napr. hudobníci) budú vedieť s presnosťou nástroje rozlíšiť. Farba tónu niekedy určuje aj jeho kvalitu. Obr. 1 nám prostredníctvom spektrogramu ilustruje ten istý tón zahraný na rôznych hudobných nástrojoch. Schopnosť rozlíšiť farbu zvuku je teda individuálna, závisí od predispozícií a talentu ale aj od tréningu.

Weberov-Fechnerov zákon a decibelová stupnica

Ernst Heinrich Weber (1795-1878) a Gustav Theodor Fechner (1801-1887) boli nemeckými vedcami, ktorí patria medzi zakladateľov experimentálnej psychológie. Weberov–Fechnerov zákon spája dva zákony týkajúce sa ľudského zmyslového vnímania (a teda nielen zvuku) a vo všeobecnosti je založený na tom, že človek nevníma intenzitu fyzického podnetu lineárne.

Weberov zákon hovorí o tzv. práve pozorovateľnom rozdiely JND (angl. just noticable difference) medzi základným podnetom a jeho prírastkom *dI*, ktorý je pre každý zmyslový orgán viac-menej konštantný a môžeme ho teda popísať vzťahom (1). Táto konštanta *k* je pre každý zmyslový orgán iná.

$$k = dI / I \qquad (1)$$

Fechner stanovil vzťah medzi objektívnym podnetom a jeho subjektívnym vnímaním prostredníctvom logaritmickej stupnice, čo znamená, že subjektívne vnímanie intenzity pocitu rastie najprv rýchlo a potom sa postupne spomaľuje. Vnímaná intenzita P, je teda rovná logaritmu objektívne zmeranej intenzity stimulu I. Ak poznáme absolútnu hodnotu intenzity prahového vnímania I_o a konštantu k závisiacu na type podnetu (určenú na základe experimentálnych dát), môžeme tak absolútnu vnímanú intenzitu podnetu určiť podľa vzťahu (2):

$$P = k.\log\frac{I}{I_o} \qquad (2)$$

Weberova a Fechenrova teória bola neskôr zovšeobecnená americkým psychológom Stanley Smith Stevensom (1906-1973), prostredníctvom Stevensovho zákona sily (3),

$$\psi(I) = k.I^n \qquad (3)$$

kde I je veľkosť objektívneho fyzického podnetu, $\psi(I)$ je jeho subjektívna kvantifikácia, n je exponent, ktorý závisí od typu stimulu a k je konštanta, ktorá závisí od jednotky posudzovanej veličiny. V akustickej technickej praxi pre výpočet vnímania intenzity zvukového podnetu používame decibelovú stupnicu, ktorá je založená na vnímaní pomeru dvoch intenzít. V prípade, že nás zaujíma absolútny vnem podnetu, vzťahujeme aktuálnu, fyzicky zmeranú intenzitu I k prahovej, t.j. v prípade sluchového vnemu $I_o = 10^{-12}$ W/m^2.

Logaritmický pomer medzi dvoma intenzitami je pomenovaný podľa škótskeho vedca Alexandra Grahama Bella. V praxi sa však z praktických dôvodov používa skôr decibel označovaný skratkou dB. Vzorec pre výpočet tzv. hladiny akustického tlaku L_I (dB) zapisujeme v tvare:

$$L_I = 10\log\frac{I}{I_o}(\text{dB}) \qquad (4)$$

pozn. Sám Alexander Graham Bell nezaviedol používanie tzv. decibelov. Jednotka Bel, a jej častejšie používaný variant tzv. "deci-Bel" (dB) je po ňom len pomenovaná. Mladý Bell bol už vo svojom detstve ovplyvnený stratou matkinho sluchu, čo sa preňho stalo stimulom pre štúdium akustiky. Všemožne sa usiloval o možnosť s matkou komunikovať a zostrojil i zariadenie, ktoré prostredníctvom vibrácií prenášalo zvukový signál na matkine čelo, a tak umožnilo určitú komunikáciu. Bell vynašiel napr. i napr. telefón a je spoluautorom mnohých ďalších vynálezov.

V technickej akustike pri jednoduchom meraní vnímania sily zvuku sa postupne ukázalo ako výhodnejšie pracovať s akustickým tlakom než z intenzitami. Akustický tlak je totiž skalárna veličina a intenzita vektorová. Akustický tlak p (Pa) je i hodnota, ktorú nám priamo odmeria mikrofón a na ktorú reaguje náš ušný bubienok. Prahová hodnota sluchu je pri výpočtoch stanovená ako $p_0 = 2.10^{-5}$ Pa.

Všeobecne používanou a najrozšírenejšou veličinou pre určenie vnímania sily zvuku je teda tzv. hladina akustického tlaku L_p (dB) definovaná ako

$$L_p = 10\log\frac{p^2}{p_o^2} = 20\log\frac{p}{p_o}(\mathrm{dB}) \qquad (5)$$

Decibel je teda pomerová veličina vyjadrujúca rozdiel vo vnímaní podnetu medzi dvomi intenzitami. Ak prahovú hodnotu I_0 príp. p_0 nepoznáme, čo v praxi znamená, že náš zvukomer nie je vykalibrovaný, nebudeme síce vedieť určiť absolútne hodnoty hladiny akustického tlaku L_p avšak stále budeme vedieť s presnosťou zhodnotiť rozdiely medzi jednotlivými meraniami a po kalibrácii zariadenia i dodatočne dopočítať absolútne hladiny pričítaním alebo odčítaním konštantnej hodnoty. Vzťah č. (5) totiž môžeme zapísať i nasledovne

$$L_p = 20(\log p - \log p_o)(\mathrm{dB}) \qquad (6)$$

kde log(p) hovorí o nameranej hodnote a log(p_0) o kalibrácii zvukomera.

Sčítavanie decibelov

V reálnej situácii pôsobí obyčajne viacero zdrojov zvuku súčasne, pričom každý generuje svoj vlastný akustický tlak p(t). Ak poznáme intenzitu alebo akustický tlak, ktorý jednotlivé zdroje produkujú, vieme vypočítať ich celkovú hladinu akustického tlaku podľa

$$p(t) = p_1(t) + p_2(\mathrm{t}) + \ldots + p_n(\mathrm{t}) \qquad (7)$$

Za predpokladu, že jednotlivé zdroje sú nekorelované, čo znamená, že sa navzájom nerušia, a že nevznikajú rôzne efekty ako interferencia zvuku a pod., môžeme ich celkovú sumu vypočítať ako:

$$\begin{aligned} p_{rms,tot} &= \sqrt{\frac{1}{T}\int_0^T \left(p_{tot}(t)\right)^2 dt} \\ &= \sqrt{\frac{1}{T}\int_0^T \left(p_1(t)+p_2(t)+p_3(t)+\dots\right)^2 dt} \\ &= \sqrt{\frac{1}{T}\int_0^T \left(p_1^2(t)+p_2^2(t)+p_3^2(t)+\dots\right) dt} \\ &= \sqrt{p_{1,rms}{}^2+p_{2,rms}{}^2+p_{3,rms}{}^2+\dots} \end{aligned} \tag{8}$$

čo znamená, že

$$I_{tot} = \frac{p_{tot,rms}^2}{Z} = \frac{p_{1,rms}^2}{Z} + \frac{p_{2,rms}^2}{Z} + \frac{p_{3,rms}^2}{Z} + \dots = I_1 + I_2 + I_3 + \tag{9}$$

Ak pracujeme z hladinami akustického tlaku môžeme zapísať ich súčet ako

$$L_{tot} = 10\log\left(10^{\frac{L_1}{10}} + 10^{\frac{L2}{10}} + \dots + 10^{\frac{Ln}{10}}\right) \tag{10}$$

kde hladiny L_1 až L_n sú hladiny akustického tlaku jednotlivých zdrojov zvuku a L_{tot} je ich celková hladina vypočítaná ako logaritmický súčet.

V praxi to znamená, že dva zdroje z rovnakou hladinou zvuku (L_1 = L_n) napr. 60dB spolu vyprodukujú o 3 dB viac, t.j. v tomto prípade 63 dB a teda nie 120 dB. Pri pôsobení n zdrojov s rovnakou hladinou L_1 môžeme použiť zjednodušený výpočtový vzťah:

$$L_{tot} = 10\log\left(n.10^{\frac{L_1}{10}}\right) = L_1 + 10\log n \tag{11}$$

Ak pôsobia súčasne dva zdroje zvuku z rozdielom v hladine akustického tlaku 20 dB, t.j. stonásobok intenzity (napr. L_1 = 60 dB and L_2 = 80dB), slabší zdroj nebude mať na výslednú hladinu počuteľný vplyv.

Dva zdroje zvuku s rovnakou hladinou akustického tlaku (t.j. $L_1 = L_2$) budú preto spolu produkovať hladinu o 3 decibely vyššiu, t.j. výsledná hladina $L = L_1 + 3$ dB.

V prípade desiatich zdrojov zvuku z rovnakou hladinou akustického tlaku môžeme ich súčet napísať pomocou zjednodušeného vzorca:

$$L_{tot} = 10\log\left(10.10^{\frac{L_1}{10}}\right) = L_1 + 10\,\mathrm{dB} \qquad (12)$$

Desať rovnako silných zdrojov zvuku nám teda vyprodukuje celkovo o 10 dB viac než jeden samostatne. A naopak, ak chceme znížiť hladinu akustického tlaku o 20 dB vypnutím počtu n rovnakých zdrojov, môžeme tento počet vypočítať podľa nasledovnej úvahy:

$$20\mathrm{dB} = 10\log(n) \qquad (13)$$

takže

$$n = 10^{\frac{20}{10}} = 100 \qquad (14)$$

Tab. 2 Približné sčítavanie hladín akustického tlaku dvoch zdrojov s rozdielnymi hodnotami hladiny akustického tlaku

Rozdiel v hladine akustického tlaku medzi dvomi zdrojmi zvuku	Nárast hladiny akustického tlaku oproti silnejšiemu zdroju zvuku
0 až 1 dB	3
2 až 3 dB	2
4 až 9 dB	1
10 dB a viac	0

Hlasitosť

Sluchový aparát človeka dokáže rozoznať zvuk v značnom frekvenčnom a dynamickom rozsahu.

Minimálne hodnoty akustického tlaku nazývame tiež prah počutia. Pre priemernú zdravú osobu sa uvádza prahová hodnota počutia frekvencie 1000 Hz ako tlak $p_o = 2.10^{-5}$ Pa rms. Takéto nízke hodnoty akustického tlaku sa v reálnom živote takmer nevyskytujú. I ten najtichší zvuk ako šepot alebo vánok, dosahuje vyššie hodnoty.

Obr. 2 prináša informáciu o hladine akustického tlaku pre niektoré všeobecne známe zdroje zvuku. Hodnota 0 dB zodpovedá v stredných frekvenciách prahu počutia a hodnota 130 dB sa uvádza ako hraničná, keďže môže spôsobiť okamžitú stratu sluchu poškodením vlasových buniek alebo pretrhnutím ušného bubienka. Akokoľvek, i hodnoty okolo 95 dB môžu byť pre sluch človeka veľmi nebezpečné ak sa im jedinec vystavuje v dlhšom časovom intervale. Vysoké hladiny hluku vplývajú i na hormonálny a nervový systém.

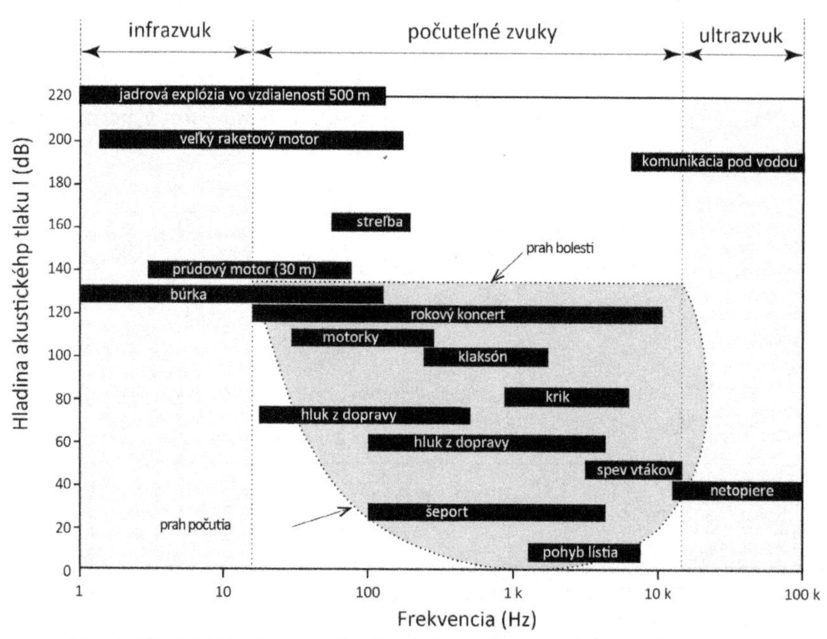

Obr. 2 Typická hladina akustického tlaku produkovaná niektorými známymi zdrojmi zvuku

Hluk teda pre ľudský organizmus nie je nebezpečný len z hľadiska straty sluchu. I relatívne nízke hodnoty hluku (okolo 50 dB) môžu nepriaznivo pôsobiť na zdravie človeka ak sa vyskytujú v nesprávnom čase a na nesprávnom mieste. Známe sú napr. poruchy spánku vyúsťujúce do závažných ochorení a ich dopad na srdcovo-cievny systém. Počas dňa môžu zvýšené hladiny hluku pozadia v učebniach spôsobiť zvýšené namáhanie hlasu učiteľov, a niekedy viesť až k nezvratným poškodeniam hlasiviek. Je tiež známe, že pri vysokých hladinách zvuku sa v ľudskom tele začne vylučovať adrenalín a zvyšuje sa krvný tlak.

Čo sa frekvenžného rozsahu týka, v odbornej literatúre môžeme nájsť rôzne údaje. Najčastejšie sa udávajú hodnoty od 16 do 16 000 Hz, niekedy od 20 do 20 000 Hz. Pričom napr. frekvencie dôležité pre zrozumiteľnosť reči sa pohybujú medzi 200 a 3000 Hz.

Akokoľvek spomenuté hodnoty reprezentujú priemerné výsledky sluchových testov zdravých mladých ľudí. V skutočnosti sa ako frekvenčný tak i dynamický rozsah počutia každého človeka z uvedeného priemeru určitým spôsobom vychyľuje. Vek človeka a pohlavie tiež podstatne vplýva na kvalitu sluchu. Čím sme starší, tým je náš frekvenčný i dynamický rozsah užší. Muži majú vo vyššom veku v priemere väčšie problémy zo sluchom než ženy.

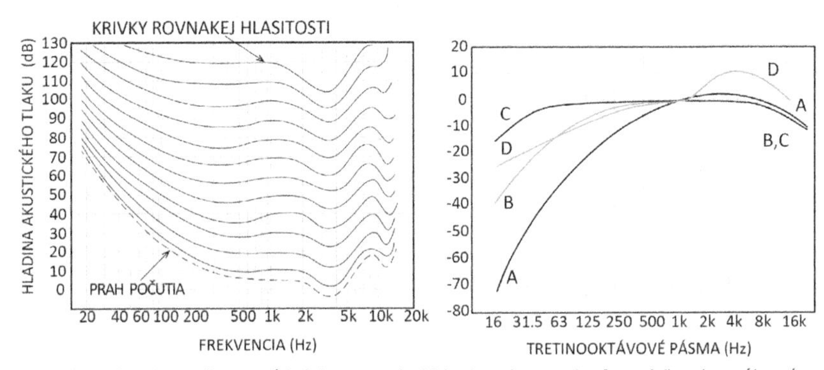

Obr. 3 Normalizované krivky rovnakej hlasitosti – tzv. izofony (vľavo) a váhové súčinitele spektra A, B, C a D (vpravo)

Človek však nevníma všetky frekvencie rovnako hlasno. Vnímanie hlasitosti je veľmi komplexný jav, pretože závisí od frekvencie a aj od intenzity daného zvuku a je teda nelineárne (Obr. 3 – vľavo). Experimenty prevedené Robinsonom už v roku 1953 a Robinsono and Dadsonom vroku 1956 ukázali, že hlasitosť čistého tónu s frekvenciou 1 kHz a hladinou akustického tlaku 40 dB budeme napr. vnímať rovnako hlasno ako čistý tón s frekvenciou 63 Hz a hladinou 60 dB. Ak však hladinu akustického tlaku zvýšime, bude rozdiel medzi vnímanou hlasitosťou nízkych a stredných frekvencií menší. Napr. tón s frekvenciou 1000 Hz a hladinou 80 dB, bude znieť rovnako hlasno ako tón s frekvenciou 63 Hz a 90 dB.

Váhové filtre spektra zvuku

Pre praktické účely merania a hodnotenia hluku boli medzinárodne akceptované a do akustických noriem zavedené tzv. váhové filtre A, B, C a D (Obr. 3 –

vpravo). Filter C je takmer lineárny (vyrovnaný) a ovplyvňuje len veľmi vysoké a veľmi nízke frekvencie. Jeho hlavným cieľom je odfiltrovať možné chyby merania pri dvoch extrémoch. D filter sa používa najmä pri hodnotení hluku s veľmi vysokými intenzitami, ako napr. hluk z lietadiel. Pre bežné zvuky prevládala v minulosti tendencia používať rôzne filtre pre zvuky s rôznou intenzitou.

Z praktického hľadiska sa dnes vo väčšine prípadov používa váhový filter A, ktorý zodpovedá zjednodušenej normalizovanej krivke rovnakej hlasitosti 40 Phon-ov (Obr. 3 – vľavo), ktorá zodpovedá hladine akustického tlaku L_p = 40 dB pri 1000 Hz. Využitie váhového filtra A nám umožňuje hodnotiť subjektívnu hlasitosť hluku vo väčšine bežných každodenných situácií jednočíselnou hodnotou v decibeloch.

Váhový filter B zodpovedá izofone 70 Phon, ale v súčasnosti sa už tiež veľmi nepoužíva. Referenčná frekvencia ktorá sa využíva i pri kalibrácii prístrojov, je pre všetky filtre je 1000 Hz. Všetky spomenuté váhové filtre spektra majú totiž pri tejto frekvencii hodnotu 0 dB.

Na zamyslenie

Ako bolo spomenuté, A-filter sa v súčasnosti používa všeobecne. V prípade veľmi tichých zvukov (< 40 dB) ako napr. hluk od susedov, však vnímanie hlasitosti pri nízkych frekvenciách nezodpovedá hladine A-hluku. Predpokladaný dopad navrhnutej izolácie preto nemusí úplne zodpovedať úplne tomu čo ľudia v bytoch skutočne počujú. V praxi sa tiež čoraz viac stretávame so situáciami, v ktorých sú kritériá na zvukovú izoláciu stanovené v normách splnené, ale ľudia napriek tomu hlukom od susedov trpia. Dôvodov je samozrejme viac, avšak jedným z nich bude určite i používanie váhového filtra A pre posudzovanie hluku o nízkych intenzitách.

3.1.2 Počúvanie s porozumením

Azda každý si z detstva pamätá dobré rady ako napr. *„Počúvajte svojich rodičov a učiteľov!"* alebo *„počúvaj čo ti hovorí tvoje svedomie a tvoj vnútorný hlas!"*.

Ak k nám rodičia prehovoria, budeme ich počuť bez toho, že by sme si to uvedomovali a museli na to vynaložiť akékoľvek úsilie. Počutie ako už vieme, prebieha podvedome. Ak však chceme spracovať informáciu, ktorú nám rodičia chcú sprostredkovať, potrebujeme zapojiť náš rozum a sústrediť sa. Čo sa týka počúvania toho, čo nám hovorí naše svedomie je v prvom rade dôležité aby sme si nejaké vybudovali. Ak sa tak stane pomôže nám v živote správne vyriešiť mnoho dilem.

Aby sme sa ale vrátili k podstate tejto kapitoly, počúvanie je teda v porovnaní s počutím kognitívny proces aktívneho vnímania zvukovej informácie a jeho interpretácie. Je to proces, integrujúci zložky správania a poznávania (Greene 1988). Počúvanie zahŕňa ako krátkodobé tak i dlhodobé aspekty a pamäť v ňom hrá jednu z kľúčových rolí. Najmä pri spracovávaní a rozumovom vyhodnocovaní zvukovej informácie (Bostrom 1996). Niektorí hudobne nadaní jedinci si dokážu predstaviť hudbu do takej miery, že ich vnem je takmer identický s vnemom, pri ktorom by hudbu naozaj počuli (Gerrig a Zimbardo 2010). Rozdielom je len centrum v mozgu, ktoré sa pri skutočnom počutí zvuku a jeho predstave aktivuje (Mojžiš 2012a).

Zvuk tiež veľmi podstatne ovplyvňuje naše emócie a jeho interpretácia je veľmi komplexná. To, ako vnímame a interpretujeme to čo vidíme alebo počujeme silne závisí od našej aktuálnej činnosti, nálady, unavenosti, ale aj dlhodobej skúsenosti a pod. Žiadnej umelej inteligencii sa zatiaľ nepodarilo získať podobné subjektívne informácie z jednoduchej nahrávky zvuku. Typickým pre naše subjektívne vnímanie komplexného zvuku je diferenciácia jeho jednotlivých zložiek do nášho vedomia t.j. „popredia" a niektorých zase naopak do nášho podvedomia t.j. „pozadia" (Schlittmeier a Hellbruck 2009).

Zvukmi „v popredí" sú obyčajne varovné signály alebo hlas rečníka. Zvukmi v pozadí zase môže byť šum lístia, žblnkot potoka a pod. V popredí vnímame obyčajne zvuky, ktoré sú pre nás niečím nové. Môžu sa však pri dlhodobom pôsobení dostať do zvukového „pozadia". Ak profesor na prednáške rozpráva monotónnym hlasom na tému, ktorá nás nezaujíma, tak jeho hlas ostane v „popredí" len krátko a rýchlo sa dostane do zvukového podvedomia. Tiež ľudia ktorí sa narodili a prežili detstvo v rušnom prostredí veľkomesta, vnímajú hluk z dopravy viac v podvedomí než ich priatelia z dediny, ktorí k nim prišli na návštevu.

Na zamyslenie

Zvuky v svojej podstate môžu niesť veľmi všeobecný, ale aj veľmi osobný význam. Niektoré zvuky v nás môžu stimulovať rôzne emócie súvisiace s akustickou pamäťou. Napr. keď zaznie pieseň ktorá nás spája z určitou udalosťou v našom živote, môže v nás vyvolať takmer identické pocity, aké sme počas v pamäti vyvolanej udalosti zažili. Väčšina mojich priateľov je obdivovateľmi spevu vtákov. Mňa osobne v lete vždy ráno o 4 hodine vtáci zobudia a preto posúdenie ich spevu je v mojom prípade závislá na čase počas dňa.

Niektoré zvuky zase nesú význam pre celé skupiny ľudí ako napr. hymna Slovenskej republiky, kostolné zvony oznamujúce zmŕtvychvstanie na Veľkú noc alebo zvonec v škole nesúci radostnú informáciu o skončení poslednej hodiny.

Každý človek má však pri vnímaní zvuku iné preferencie a preto jeho posúdenie zatiaľ nie je možné simulovať.

Za veľký pokrok v oblasti akustiky však môžeme považovať automatické rozpoznanie ľudského hlasu, ktoré sa využíva pri písaní textov ľuďmi s obmedzenou mobilitou, alebo vizuálnymi schopnosťami, príp. rôznych aplikáciách moderných mobilných telefónov ako napr. Siri a pod. Akokoľvek, posúdenie či sa človeku komplexný zvuk bude zdať ako príjemný zatiaľ automaticky nie je možné. V medicínskom sektore je to tiež stále lekár alebo iný špecialista, ktorý interpretuje výsledky röntgenu pľúc, tomografu hlavy, či EKG srdca. Nad asociačnými schopnosťami ľudského mozgu sa totiž zatiaľ nepodarilo vyhrať žiadnemu počítačovému algoritmu.

3.2 Sluchové a posluchové testy

Analogicky k „počutiu" a „počúvaniu" rozoznávame tzv. „sluchové" (angl. hearing test) a „posluchové" testy (listening test). Typickým príkladom sluchového testu je audiometrické vyšetrenie sluchu, v ktorom lekár zisťuje prah počutia pacienta. Ukážka výsledku audiometrického vyšetrenia sluchu je na Obr. 4. Toto vyšetrenie neovplyvňuje inteligencia pacienta ani jeho rozumové schopnosti. Ide tu len o zistenie fyziologickej funkcie jedného z piatich ľudských zmyslov.

Psychoakustické posluchové testy patria do skupiny psychologických testov vnímania, tzv. percepčných testov, v ktorých je ako stimul použitý zvuk.

Účel a predmet skúmania určuje metódu ktorá sa pri testovaní použije. V priestorovej a stavebnej akustike sa s posluchovými testami stretávame pri detekcii špecifických akustických problémov, pri koncepcii a validácii novej akustickej veličiny alebo pri posúdení komplexnej akustickej situácie, pre ktorú zatiaľ neexistuje objektívne zmerateľný parameter.

Koncepcia akustického parametra alebo kritéria pre posúdenie akustickej kvality si obyčajne vyžaduje dlhší iteratívny proces, ktorý môže byť veľmi „delikátnym" ak sa jedná napr. o rozhodnutie o tom, či zaradiť určitý parameter do technickej normy alebo nie. I malá chybná zmena v norme môže mať za následok i fatálny dopad v stavebnej praxi.

Posluchové testy môžu byť vo všeobecnosti diskriminatívne (napr. porovnanie párov) alebo deskriptívne (napr. sémantický diferenciál). Iné rozdelenie je napríklad na tzv. „objektívne" testy, vzťahujúce sa k tomu čo testovaná osoba počuje a „subjektívne" testy, v ktorých chceme zistiť čo testovaná osoba preferuje. V prvom prípade teda ide o získanie informácie o charaktere zvuku pričom v druhom prípade sa hovorí o jeho vnímaní v danom kontexte (NT Acou 111, 2002-5).

Audiometrické vyšetrenie sluchu

Špeciálnym prípadom testu je audiometrické vyšetrenie sluchu, pri ktorom sa vyšetruje tzv. vzdušné a tzv. kostné vedenie. Vyšetrenie prebieha normou predpísaným zariadením v normou predpísanej komore, predpísanou metódou ISO 8253-1. Norma popisuje vyšetrenie čistými tónmi a je najčastejšie aplikovaná pre frekvencie šietsich oktáv v rozsahu od 125 do 8000 Hz.

Kvalita sluchu človeka pri vzdušnom vedení sa vyšetruje pomocou uzavretých slúchadiel a kostné vedenie prostredníctvom kostného vibrátora umiestneného na kostný výbežok za uchom. Klasické manuálne testovanie sluchu môže byť vykonané pomocou dvoch metód z angl. tzv. ascending method alebo z angl. tzv. bracketing method popísaných v kapitole 4.4. Rozdiel v dvoch spomenutých metódach je len v procedúre určenia prahu počutia. Testovacie tóny, ich poradie ako i fakt, že každé ucho je testované samostatne je v oboch prípadoch rovnaký.

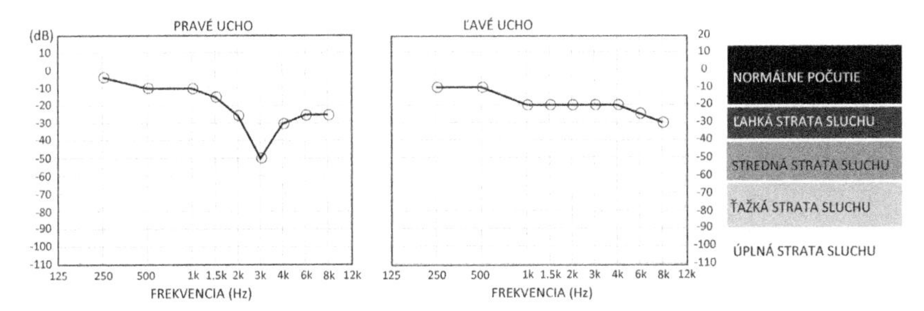

Obr. 4 Príklad výsledku audiometrického vyšetrenia sluchu

Posluchové testy majú široké uplatnenie a na vedecké účely sa využívajú dokonca i v astronómii. Niektoré signály z teleskopu je totiž možné spracovať do zvukového signálu v počuteľnom frekvenčnom pásme. Tento proces sa vo všeobecnosti nazýva tzv. sonifikácia hviezd (angl. sonification of stars). Takto pripravené zvukové vzorky si je potom možné vypočuť a dokonca i analyzovať auditívnou cestou (Diaz-Merced et al 2012). Častokrát sú to práve slepí astronómovia, ktorí dokazujú že ich ťažký zrakový handicap môže byť niekedy aj výhodou, v tomto prípade pri rýchlosti analýzy zvukového signálu.

4 Psychoakustické testy

$$P = k * \log I$$

P - intenzita vnemu
I - intenzita podnetu
k - Weberova konštanta

Psychoakustika je vedný odbor, ktorý patrí medzi špecializácie psychofyziky. Psychofyzika sa vo všeobecnosti zameriava na zistenie vzťahu medzi fyzickým stimulom a jeho vnímaním a na zistenie javu ktorý spôsobí. Svetoznámy psychofyzikálny zákon Webera a Fechnera hovorí, že pri geometrickom prírastku intenzity podnetu rastie subjektívne vnímanie podnetu aritmeticky.

Psychoakustika sa zameriava na vnímanie zvuku človekom. Oproti všeobecnej akustike, v ktorej na získavanie dát využívame mikrofóny alebo iné zariadenia, ktoré je možné kalibrovať, v psychoakustike je jediným relevantným „meracím nástrojom" práve sám človek. Kalibráciu človeka však nie je možné previesť rovnakým spôsobom ako je to napr. v prípade mikrofónu.

Inými slovami, v psychoakustických posluchových testoch sme odkázaný na odpovede ľudí a pracujeme, ako keby sme nemali vykalibrované mikrofóny. Pri analýze dát nám preto nesmierne pomáha štatistická analýza a testovanie teda vždy prevádzame na štatisticky relevantnej vzorke ľudí.

4.1 Úvod

To, že psychoakustické testy sú vo svojej podstate tiež určitým druhom merania je v technických vedných smeroch často podceňované. V humanitných smeroch sú psychologické alebo sociologické testy častým nástrojom pre získanie dát a informácií. Tieto sú následne štatisticky spracované, vyhodnotené a interpretované.

K hlavným kritériám, ktoré musia byť počas procesu tvorby a vývoja testovacej metódy analyzované patrí objektivita, spoľahlivosť a platnosť. Ak si to test vyžaduje, metóda musí byť inovovaná a vylepšená i počas testovania. Objektívnosť spočíva najmä v nezaujatosti (angl. unbias) tvorcu testu ako i testovaných osôb. Spoľahlivosť je daná jeho reprodukovateľnosťou, ktorá je obyčajne overená zopakovaním testu s tými istými subjektmi (t.j. testovanými osobami). Tento fakt sa nazýva spoľahlivosť testu (Rost 1996).

Platnosť testu hovorí o tom do akej miery test spoľahlivo meria to, čo má za úlohu. Platnosť testu nie je určená jednoduchou štatistikou ale ťažiskom výskumu, ktorý ukazuje vzťah medzi odpoveďou a tým čo bolo testované.

Koncepcia posluchového testu pozostáva z niekoľkých fáz. Medzi kľúčové informácie ktoré pri tvorbe testu potrebujeme je auralizácia akustickej situácie, prezentácia zvukových stimulov, fyziologicko-neurologické spracovanie sluchovej informácie testovaným človekom a štatistické vyhodnotenie a interpretácia výsledkov autorom testu.

4.2 Auralizácia akustickej situácie

Auralizácia akustickej situácie sa v princípe skladá z troch základných častí: (1) informácia o pôvodnom zvukovom signáli, (2) informácia o propagácii zvuku médiom medzi zdrojom zvuku a poslucháčom, (3) informácia o prenosovej funkcii hlavy poslucháča (tzv. Head related transfer function - HRTF) závislej od tvaru a veľkosti jeho vonkajšieho ucha a hornej časti tela.

4.2.1 Pôvodný zvukový signál

Za pôvodný zvuk považujeme autentickú zvukovú informáciu, ktorú zdroj produkuje, a ktorá nie je ovplyvnená okolitým prostredím. Tento typ zvukovej informácie je možné získať nahrávkou zdroja zvuku len za veľmi špeciálnych akustických podmienok, nazývaných tzv. anechoické (bezdozvukové) prostredie.

V niektorej literatúre sa stretneme i z názvom „voľné zvukové pole“, keďže ide o prostredie, v ktorom existuje iba pole priamych zvukových vĺn a neexistujú tu teda žiadne jeho odrazy. Typickým príkladom laboratórne vytvoreného anechoického prostredia je tzv. bezdozvuková miestnosť (angl. anechoic chamber), ktorá je skonštruovaná tak aby v nej bolo zabránené akýmkoľvek odrazom zvuku od stien, stropu alebo podlahy. Riešením je aplikácia zvukovej pohltivosti na všetky vnútorné plochy miestnosti, ktoré robia tento priestor v podstate akusticky neviditeľný (Obr. 5-vľavo).

Obr. 5 Bezdozvuková t.j. anechoická miestnosť (vľavo) a dozvuková miestnosť (vpravo)

Pre úplnosť informácie o zvukovom poli, prinášame i informáciu o opaku anechoického prostredia, v ktorom prevládajú odrazy zvuku nad priamym zvukom. Takéto prostredie sa nazýva dozvukové (angl. reverberant), príp. i tzv. pole difúznych zvukových vĺn (angl. diffuse field). Príkladom difúzneho pola je dozvuková komora (reverberation chamber), v ktorej sú všetky povrchy vyrobené z vysoko odrazivého materiálu a žiadne z dvoch stien nie sú rovnobežné (Obr. 5-vpravo).

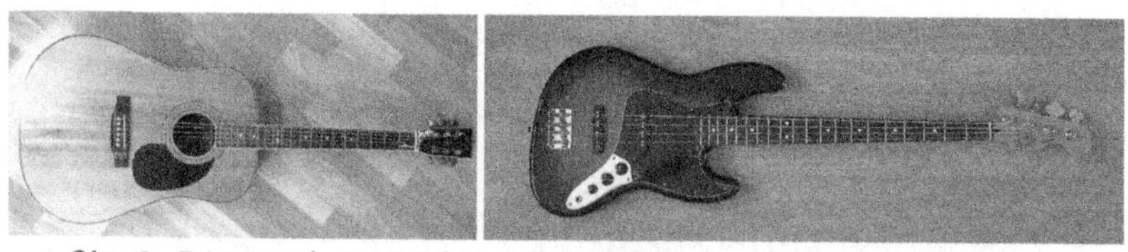

Obr. 6 Prirodzený akustický hudobný nástroj gitara (vľavo) a elektrická basgitara (vpravo)

Logicky nám teda vyplýva že zvukové polia v interiéry budov tvoria škálu akusticky rôznych typov priestorov medzi dvoma extrémami (t.j. medzi bezdozvukovou a dozvukovou miestnosťou).

Zvuk môže byť generovaný buď prirodzeným alebo umelým zdrojom zvuku. Medzi prirodzené zvuky považujeme napr. ľudský hlas, zvuky prírody, zvuk kladiva narážajúceho na klinec, klepot drevákov na podlahe alebo aj zvuk akustického hudobného nástroja.

Medzi tzv. umelé signály patria napr. zvuky digitálneho alebo analógového syntetizátora alebo iné elektricky generované zvuky.

4.2.2 Propagácia zvuku v danom médiu

Prostredie, v ktorom šírenie zvukových vĺn prebieha nazývame médium. Ak sa zvukové vlny šíria len vzduchom, je ich propagácia vďaka jeho homogenite relatívne jednoduchá. V reálnom svete, najmä v interiéri budov, však zvukové vlny počas ich putovania od zdroja k poslucháčovi narážajú na okolité plochy a prekonávajú rôzne prekážky, pričom sa ich energia znižuje nielen poklesom hladiny so vzdialenosťou (podľa dĺžky trajektórie ktorú prekonali), ale aj vplyvom zvukovej pohltivosti povrchov a rozptylu zvuku od drsných štruktúr a objektov. Je známe, že zvukové vlny sa dokážu nielen odrážať ale aj ohýbať, čím pri ich šírení v miestnosti vzniká veľmi komplexné zvukové pole.

Šírenie zvukových vĺn v priestore môžeme buď odmerať napr. prostredníctvom merania integrovaných impulzových odoziev (v posudzovanom priestore), alebo simulovať v príslušnom akustickom softvéri. Skúmaním spomenutých akustických javov v uzatvorenom priestore sa vo všeobecnosti zaoberá priestorová akustika (Tomašovič et al 2010).

Medzi najpoužívanejšie výpočtové algoritmy v priestorovej akustike patria rôzne geometrické a lúčové metódy (angl. ray-tracing) ako aj numerické metódy, napr. metóda okrajových podmienok (angl. boundary element method), metóda konečných rozdielov (finite element method) a pod (Riečanová 2013 a 2015).

Pri náraze zvukovej vlny na stenu, okno, podlahu či strop v miestnosti sa časť zvukovej energie pohltí, časť sa odrazí a určité množstvo „prejde" do vedľajšej miestnosti alebo exteriéru, kde sa takpovediac „vyžiari". Zvukové vlny totiž rozkmitajú deliacu konštrukciu a spôsobia tak, tlakové zmeny vo vzduchu na druhej strane konštrukcie. A ak tieto zmeny tlaku vo vzduchu budú dosiahnu frekvenciu medzi 20-20000 Hz a budeme ich vnímať ako počuteľný zvuk. V závislosti na type konštrukcie a jej schopnosti izolovať (príp. vyžiariť zvukovú energiu) pri rôznych frekvenciách (daných napr. stupňom vzduchovej nepriezvučnosti) počujeme zvuk vo vedľajšej miestnosti nielen tichšie, ale aj pod určitým frekvenčným skreslením.

Javmi šírenia zvukových vĺn v konštrukciách pozemných stavieb (napr. stien, stropov a podláh) a následne ich izolačnými schopnosťami sa vo všeobecnosti zaoberá vedný odbor stavebná akustika (Tomašovič et al 2009 a 2010), ktorá rozlišuje vzduchovú nepriezvučnosť, krokovú nepriezvučnosť a hluk z inštalácií. V našej knižke sa však venujeme len jej časti, týkajúcej sa vzduchovej nepriezvučnosti so zameraním na jej subjektívne posúdenie.

Šírenie zvukových vĺn medzi zdrojom zvuku a poslucháčom môžeme i v stavebnej akustike buď odmerať alebo simulovať. Simulácie si však oproti priestorovej akustike vyžadujú čiastočne iný prístup. Azda najväčší dôraz je v súčasnom modelovaní kladený na čo najpresnejšiu predikciu modelovania prijímacej a vysielacej miestnosti a propagácie zvuku cez materiál deliacej konštrukcie (umiestnenej medzi vysielacou a prijímacou miestnosťou). Nižší dôraz sa kladie na presnú predikciu tvaru hlavy a vonkajšieho ucha poslucháča. Predikčné modeli vyvinuté na RWTH Aachen ukázali dostatočnú presnosť pre predikciu tretinooktávového spektra s využitím pre účely hodnotenia zvukovoizolačných tried v subjektívnych testoch (Vorländer 2006).

Inou možnosťou pri predbežných výpočtoch v tejto súvislosti je použitie zjednodušenej metódy založenej na princípe zachovania energie (Ronasi 2003; Rindel 2008). Deliaca konštrukcia je v tomto prípade charakterizovaná stupňom vzduchovej nepriezvučnosti v tretinooktávach a simulácie sú prevedené prostredníctva tzv. particle tracking s výslednou impulzovou odozvou ktorú možno použiť i pre auralizáciu (Rindel 2008).

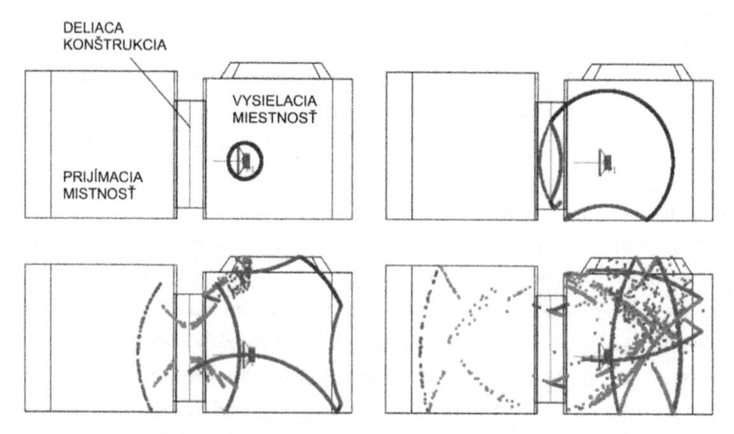

Obr. 7 Vizualizácia výpočtu zvukovej energie v prijímacej miestnosti pomocou približnej štatistickej simulačnej metódy, tzv.particle based method

Ak teda máme informáciu o pôvodnom zvukovom signáli t.j. bezdozvukovú nahrávku a transferovú funkciu prostredia v ktorom sa vlny od zdroja k poslucháčovi šíria (resp. impulzovú odozvu), môžeme situáciu urobiť počuteľnou a tzv. auralizovať (Vorländer, 2008). Ak poznáme i prenosovú funkciu hlavy (popísanú v nasledujúcom odseku) zvýšime tým presnosť a autentickosť auralizácie avšak predĺžime i čas výpočtu.

Prehľad problematiky v tejto oblasti ako i state-of-the-art v auralizácii v priestorovej akustike si môžeme prečítať napr. v príspevkoch Rindel (2004) a Vorländer (2006). Informácie o využití auralizácie miestností v audiologickom výskume zase prináša publikácia Rychtáriková et al (2009 and 2011).

4.2.3 Prenosová funkcia hlavy poslucháča

Väčšina z nás má dve uši, ktoré nám pomáhajú nielen pri zosilnení zvukového signálu ale i pri analýze veľkého množstva špecifických zvukových javov. Binaurálna informácia, t.j. informácia registrovaná dvomi zdravými ušami je pre plnohodnotný život človeka veľmi dôležitá. Vďaka nej dokážeme s presnosťou povedať, či zvuk prichádza zľava, sprava alebo spredu. Vďaka binaurálnemu filtrovaniu (tzv. binaurálnemu odmaskovaniu) sa dokážeme rozprávať i v hlučnom prostredí.

Ľudský mozog vo všeobecnosti analyzuje dva signály prichádzajúce jednotlivo z ľavého a z pravého ucha a porovnáva prichádzajúci čas a hladinu akustického tlaku pre blízke a vzdialené ucho. Lokalizácia zvuku vo frontálnej horizontálnej rovine je teda možná vďaka dvom binaurálnym informáciám, nazývaným Rozdiely interaurálnej intenzity (angl. Interaural Level Difference - ILD) a Interaurálny časový rozdiel (angl. Interaural Time Difference - ITD) (Hartmann 1999).

Prvé pokusy na túto tému uskutočnil a poznatky publikoval ako Duplex theory už v roku 1907 John William Strutt, 3. barón Rayleigh (Strutt 1907).

Človek, i napriek tomu, že má k dispozícii iba dve uši, dokáže lokalizovať i zvuk prichádzajúci z trojrozmerného prostredia. Vo vertikálnej rovine však ILD a ITD nie je možné použiť, pretože ľudská hlava je relatívne symetrická a rozdiely v čase a hladine preto majú pre zvuk prichádzajúci spredu, nad nami alebo za nami rovnakú hodnotu. Ľudia však obyčajne dokážu určiť smer, z ktorého zvuk prichádza s veľmi dobrou presnosťou. Na svedomí to má tvarovanie vonkajšieho ucha, pôsobiace ako náš osobný akustický filter. Ďalším faktorom sú i pohyby hlavy, ktoré nám umožňujú pozíciu zdroja zvuku overiť v jej viacerých pozíciách, príp. jej nastavenie do pozície, v ktorej vieme zvuk najlepšie lokalizovať.

Individualita tvaru a veľkosti vonkajšieho ucha u ľudí spôsobuje, že ak by sme si s kolegom vymenili uši, dokázali by sme sa orientovať v dvojrozmernom priestore pred nami a stratili by sme schopnosť rozpoznať či zvuk prichádza spredu, zozadu alebo zhora.

Jedinečnosť tvaru ľudského ucha a jeho umiestnenia na hlave definuje tzv. Prenosová funkcia hlavy (HRTF - Head-Related Transfer Function), definovaná ako pomer medzi Fourierovou transformáciou signálu prijímanom na ušnom bubienku a Fourierovou transformáciou signálu, ktorý by bol zaznamenaný na tom istom mieste bez prítomnosti hlavy.

HRTF závisí na smere prichádzajúcej zvukovej vlny definovanej azimutom ϑ a výškovým uhlom Φ vo vzdialenosti r, medzi hlavou a zdrojom zvuku na frekvencii f. HRTF je možné experimentálne určiť meraním spektier zvuku v ušiach ľudí alebo umelých hláv, vždy za predpísaných podmienok, t.j. v bezdozvukovej komore pre jednotlivé uhly ϑ a Φ zdroja zvuku. Merania na ľudských hlavách potvrdili individualitu HRTF každého človeka. HRTF informáciu môžeme buď odmerať alebo simulovať (napr. metódou okrajových podmienok).

4.3 Zvukové Stimuly a ich prezentácia

4.3.1 Reprodukcia zvuku

Zvukové Stimuly (podnety) v posluchových testoch môžeme testovanej osobe prezentovať dvomi hlavnými spôsobmi, t.j. prostredníctvom (1) reproduktorovej sústavy alebo (2) pomocou slúchadiel. Vo všetkých prípadoch sú Stimuly uvažované v časovej doméne ako „signál“ versus „čas“. Ak pri experimente sledujeme len jeden faktor (napr. vnímanú hlasitosť, výšku tónu alebo uhol z ktorého zvuk k nám prichádza), nazývame tento podnet ako 1D (jednodimenzionálny) stimul. V prípade že v rámci jedného pokusu sledujeme viacero faktorov, hovoríme o tzv. viacrozmerných (multidimenzionálnych) stimuloch.

Reproduktorové sústavy nám umožňujú počúvať prirodzene, t.j. vlastnými ušami v poli zvukových vĺn, avšak zvukový signál a distribúcia reproduktorov musí byť vyvážená. V prípade napr. binauránej syntézy priestoru musíme počítať s filtrovaním pomocou tzv. cross-talk cancellation algoritmov, odvodených z informácie HRTF (Akeroyd et al 2007). Ambisonické sústavy, ktoré využívajú dekompozíciu sférických harmonických sa ukázali tiež ako vhodné 2D a 3D systémy pri priestorovej reprodukcii zvuku (Pelzer et al 2011).

3D lokalizácia zvuku je kľúčová pri správnom priestorovom vneme a v minulosti bola predmetom skúmania mnohých autorov najmä v súvislosti s tzv. predo-zadnou lokalizáciou (angl. front-back localisation) a s tzv. predo-zadným skreslením (angl. front-back confusion) a v súvislosti s uchovaním informácie o binaurálnych rozdieloch v intenzite ILD a v čase ITD (Bai a Lee 2006).

Pri použití slúchadiel pri posluchových testoch síce zanikajú problémy spojené s cross-talk cancellation a pod., avšak vznikajú nepresnosti hlavne v súvislosti s neindividualizovanými HRTF. Ak poslucháč počúva zvuk prostredníctvom slúchadiel, dokáže v horizontálnom smere s veľmi dobrou presnosťou, okolo 10° (Rychtáriková et al 2009) určiť, či zvuk prichádza z ľava alebo z prava. Binaurálne stimuly prezentované slúchadlami totiž veľmi dobre uchovávajú informáciu o ILD a ITD, ktorá je vďaka podobnej veľkosti hlavy a polohy uší u dospelých ľudí veľmi podobná.

Pri určovaní polohy zdroja zvuku vo výškových uhloch, t.j. vo vertikálnej rovine je situácia odlišná. Poslucháčovi pri určovaní smeru totiž chýba jeho „osobný filter", t.j. ušnica a preto informáciu o tom, či zvuk prichádza spredu, zhora alebo zozadu nedokáže s presnosťou určiť (Hartmann 1999). Lokalizácia zvuku vo vertikálnej rovine v stacionárnom stave (t.j. bez dovolenia pohybov hlavy) je totiž vo všeobecnosti determinovaná monaurálnymi podnetmi a teda závisí najmä od veľkosti a tvaru vonkajšieho ucha jedinca, je veľmi individuálna.

Posluchové testy v stavebnej akustike zamerané na posúdenie hluku si však nevyžadujú schopnosť lokalizovania zvuku s takou veľkou presnosťou ako je to napr. v audiologickom výskume. Priestorová informácia vo zvukových stimuloch prispieva len k realistickejšiemu vnemu zvuku počas samotného testovania.

Reproduktorové sústavy

V laboratórnych podmienkach je možne uskutočniť reprodukciu zvuku rôznymi typmi reproduktorových sústav. Nielen každá sústava, ale aj každý reproduktor má svoje špecifiká. Rôzne reproduktory sú v podstate vždy skonštruované pre určitý účel. Niektoré zariadenia reprodukujú lepšie nižšie frekvencie a niektoré zase výšky. Závisí to od konštrukcie membrány a jej veľkosti. Malým reproduktorom (tzv. tweeter) obyčajne nedokážeme vybudiť signál vysokej intenzity v tzv. basoch a nízkofrekvenčný zvuk preto častokrát nedosiahne ani prah počuteľnosti. Typickým príkladom je napr. reproduktor zabudovaný v notebooku alebo malom rádiu. Počuteľnosť nízkych frekvencií môžeme dosiahnuť malým reproduktorom len umelo, pomocou tzv. zvukovej ilúzie, pri ktorej pomocou harmonických násobkov základného tónu dosiahneme jeho virtuálnu počuteľnosť.

Reproduktory s veľkou membránou (nazývaný aj subwoofer) dokážu dosiahnuť vysoké hodnoty akustického tlaku pri nízkych frekvenciách vďaka dostatočnej amplitúde membrány pri kmitaní, avšak jej zotrvačnosť zase bráni pri reprodukcii výšok. Pri voľne predajných sústavách pre domácnosti (domáce kino, Hi-Fi veža a pod), preto obyčajne kupujeme viacero reproduktorov alebo integrovaný reproduktor, pozostávajúci z dvoch membrán.

Obr. 8 Ambisonická miestnosť v akustickom laboratóriu na Univerzite v Záhrebe v Chorvátsku

Slúchadlá

Slúchadlá sú v podstate malé reproduktory a vďaka tomu, že sú umiestnené priamo na ušiach alebo priamo v ušiach človeka, nie je potrebné aby mali taký výkon ako reproduktory. Akokoľvek, slúchadlá v ktorých by bola zabudovaná membrána analogicky k reproduktoru sa už dnes nepoužívajú.

Typy slúchadiel možno rozdeliť podľa rôznych vlastností. Z hľadiska ich vonkajšieho prevedenia poznáme otvorené a uzavreté. Otvorené slúchadla sú typické tým, že ich sú vyrobené so zvukovo priepustného materiálu (Obr. 9 - vľavo hore) čím umožňujú prirodzenejší zvuk. Ich skutočné využitie je však možné iba v tichom prostredí, keďže okolité zvuky ľahko prenikajú mriežkou na ich povrchu. Uzavreté slúchadlá (Obr. 9 - vľavo dole) sú vhodné do hlučnejšieho prostredia avšak ich zvuková kvalita je v rámci jednej cenovej kategórie obyčajne slabšia.

Obr. 9 Príklad otvorených slúchadiel (vľavo-hore), uzavretých slúchadiel (vľavo-dole) a psychoakustický test s využitím zariadenia Head Acoustics (vpravo)

Z hľadiska impedancie poznáme slúchadlá vysoko-impedančné (impedancia sa pohybuje v stovkách až tisíckach Ohmov) a nízko-impedančné, ktorých impedancie sa pohybujú v jednotkách až desiatkach Ohmov. Väčšina voľne prístupných slúchadiel je nízko-impedančných.

Podľa spôsobu nasadenia na hlavu môžu byť slúchadlá circumaurálne (ak obopínajú celé ucho), superaurálne (ak sú menšie ako ušnica, ale ostávajú uchytené priamo na uchu) a interaurálne (ak sú počas reprodukcie zvuku vložene priamo do ucha).

Z hľadiska typu meniča (z angl. transducer) existujú slúchadlá elektrodynamické a elektrostatické. Dynamických je na trhu väčšina a v zásade sa skladajú z troch základných častí: membrány, magnetu a cievky. Akonáhle sa do meniča privedie signál v podobe elektrického prúdu, cievka sa za pomoci stáleho magnetu dostane do pohybu a rozkmitá membránu, čím vznikne v slúchadlách zvuk.

Elektrostatické slúchadlá potrebujú určitý zosilňovač, ktorý na ultra-tenkú pokovovanú membránu uloženú medzi paralelne uloženými elektródami dodáva jednosmerné polarizačné napätie. Na elektródy privedený zvukový signál potom vytvorí elektrostatické pole a membrána začne vibrovať. Vďaka vysokej citlivosti membrány má tento typ slúchadiel neskreslený zvuk s vynikajúcou spektrálnou charakteristikou. Tento typ slúchadiel je preto jedným z najlepších zariadení pre posluchové testy, ktoré sa využívajú vo výskume. Príklad elektrostatických slúchadiel integrovaných v zaradení Listening unit HeadAcoustics je ilustrovaný na (Obr. 9 - vpravo).

Vizuálna spätná väzba

Je známe, že zmyslové vnímanie človeka je viaczmyslové (multisenzoriálne). Vizuálna informácia preto počas testovania zvuku môže ovplyvniť jeho vnímanie. Ak napr. v miestnosti zbadáme reproduktor, evokuje nám to, že zvuk prichádza zo smeru kde je umiestnený.

Prezentovanie rôznych obrázkov napr. prírody, ovplyvní príjemnosť vnímaného zvuku a naopak. Pri posluchových testoch je preto potrebné vybrať vhodné vizuálne pozadie, rovnaké pri všetkých testovaných osobách, príp. zvážiť, či vôbec nejaký vizuálny podnet pri teste zaradiť do experimentu. Pri samotnom testovaní je mimoriadne dôležité aby každá testovaná osoba previedla test za rovnakých podmienok a to nie len akustických ale aj vizuálnych.

Niečo na zamyslenie

Mnoho vynálezov v histórii ľudstva bolo vyvinutých pre dobrú vec a neskôr často zneužitých. Ak sa zamyslíme nad reproduktormi ako takými, bezpochýb pocítime ich silu. Reproduktory nám umožňujú nielen uskutočnenie posluchových testov v psychoakustike, alebo zlepšenie zrozumiteľnosti reči v staničnej hale, či v prednáškovej sále. Elektroakustické ozvučovacie systémy boli v histórii neraz zneužité. Veď predstavme si, ako by napríklad dopadol Adolf Hitler alebo Jozef Stalin so svojimi zvrátenými teóriami a ideológiami ak by neboli schopný hovoriť k masám a vytvárať tak davovú psychózu.

Bez ozvučenia by Hitler dopadol ako Napoleon, ktorý sa musel počas politického príhovoru v dave ľudí prechádzať na koni. Veď bez elektroakustického ozvučenia môže jeden človek rozprávať v miestnosti s veľkosťou maximálne 1000 m^3, tak aby mu bolo rozumieť, nehovoriac o voľnom priestranstve kde hladina akustického tlaku od rečniaceho človeka klesá o približne 6 dB pri zdvojení vzdialenosti.

4.4 Psychoakustické metódy

Pri výbere testovacej procedúry, máme veľa možností. V súčasnosti je známych niekoľko psychoakustických metód aplikovateľných pre posluchový test v oblasti zvukovej izolácie. Cieľom tejto podkapitoly nie je encyklopedické vymenovanie všetkých metód využívaných v psychofyzike, ale priniesť prehľad základných typov testov ktoré nesú potenciál využitia pri subjektívnom hodnotení zvukovej izolácie.

Do skupiny klasických psychofyzikálnych metód patrí tradične:

(1) metóda minimálnych zmien, niekedy označovaná i ako metóda limít (angl. method of limits), (2) metóda konštantných podnetov (angl. method of constant stimuli) a (3) metóda priemernej chyby označovaná v literatúre tiež ako metóda prispôsobenia (angl. method of adjustment).

Do ďalšej skupiny zaraďujeme adaptívne metódy a sémantický diferenciál, ako napr. tzv. jednoduchá nahor–nadol metóda (angl. simple up-down method), tranformovaná nahor–nadol metóda (angl. transformed up-down method), method of maximum likelihood alebo parameter estimation by sequential testing

Veľkou skupinou sú i psychoakustické testovacie metódy ako napr. škálovanie (angl. scaling methods) ktoré môže byť nominálne (číselné).

Do tejto skupiny patrí napr. veľmi známa metóda párových porovnaní (angl. pairwaise comparisons), hodnotiace alebo posudzovacie metódy (angl. ranking methods), hodnotenie pomerov (angl. ratio evaluation), multidimenzionálne škálovanie (angl. multidimensional scaling), metóda odhadu veľkosti (angl. magnitude estimation) a metóda produkcie veľkosti (angl. magnitude production), impairment evaluation alebo task performance methods.

4.4.1 Klasické metódy

Metóda minimálnych zmien

Jednou z tradičných psychofyzikálnych metód je metóda minimálnych zmien alebo metóda limít, ktorá nám pomáha definovať napr. prahové hodnoty absolútnej citlivosti (angl. detection threshold) a hodnoty diferenciálnej citlivosti, t.j. detekcia prahového vnímania najmenšieho rozdielu medzi dvoma podnetmi, (angl. discrimination, difference threshold) označovaný aj ako JND (angl. just noticeable difference).

Podnetový prah

V psychoakustike môže prahom byť napr. prah počutia. Dá sa zistiť postupne, v určitých krokoch nahor alebo nadol, tak že zvukový podnet buď zvyšujeme až kým ho testovaná osoba je schopná zaregistrovať, alebo ho zmenšujeme až dokiaľ prestane vyvolávať pocit, a teda v našom prípade ho nie je počuť. Pri zisťovaní prahu vnímania je výhodné použiť obe metódy, pretože ich výsledky sa môžu navzájom líšiť. Rozdiely v prahu „objavenia" a prahu „zmiznutia" sú v psychofyzike známymi javmi. Prichádza tu do hry tzv. chyba adaptácie spôsobená vznikom určitej zotrvačnosti testovanej osoby a chyby „očakávania", ktoré majú za následok, že testovaná osoba zahlási zmiznutie vnemu skôr ako podnet naozaj zmizne.

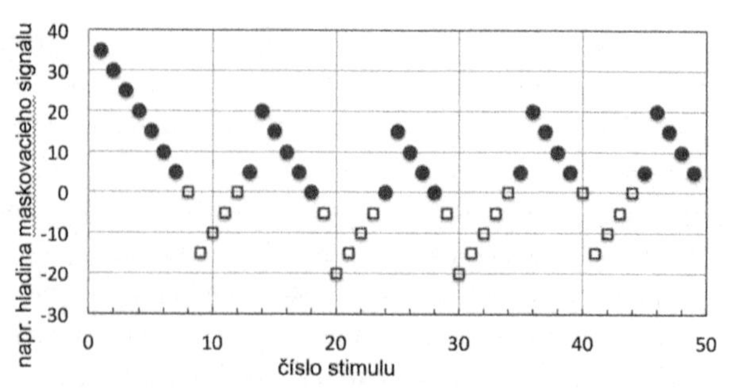

Obr. 10 Grafické znázornenie metódy minimálnych zmien

Testovacie metódy preto obyčajne využívajú oba „smery" testovania, t.j. zhora nadol a zdola nahor. Príkladom je napr. testovanie prahu počutia spôsobom, graficky znázorneným in na Obr. 10. Testovaná osoba počúva zvukové signály v určitých krokoch a v časových odstupoch až do momentu kým podnet z vnímania nezmizne. Vtedy operátor testu, príp. softvér začne automaticky generovať rad stúpajúcich podnetov až kým testovaná osoba zvuk znova nezačne počuť. Tento princíp sa potom opakuje niekoľkokrát podľa predpísaných pravidiel.

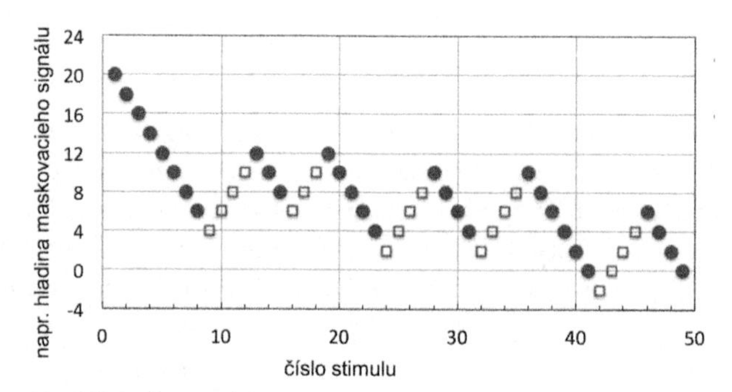

Obr. 11 Békesyho metóda

Určitým typom metódy minimálnych zmien (limít) je tzv. Békesyho metóda (Obr. 11), ktorá má široké využitie, ale azda najčastejšie sa využíva v audiológii. Jedným typickým príkladom je testovanie zrozumiteľnosti reči za prítomnosti maskovacieho šumu (Rychtáriková et al 2011). Pri danom experimente chceme zistiť pri akom pomere signálu k šumu je ľudskú reč ešte rozumieť. Počas experimentu teda testovaná osoba počuje hovorené slovo, napr. jednu vetu alebo slovo za prítomnosti šumu. Jej úlohou je vetu alebo slovo správne (t.j. doslovne) zopakovať. V prípade každej správnej odpovede sa hladina šumu v teste zvýši o určitý definovaný krok (napr. 2 dB) a naopak, v prípade nesprávneho zopakovania vety (t.j. ak šum už príliš silno maskuje reč) sa hladina šumu zníži v definovanom kroku.

Výsledkom je potom hodnota pomeru signálu k šumu, na ktorej sa experiment ustáli a priemer z posledných odpovedí je výsledkom. Výsledkom je potom v zásade hodnota 50% na psychometrickej krivke definovanej nižie viď Obr. 15 vľavo.

Diferenciálny prah

Pri určovaní prahového vnímania najmenšieho rozdielu medzi dvoma podnetmi je testovanie obyčajne založené na prezentovaní dvoch stimulov, jedného s konštantnou zvukovou charakteristikou (tzv. etalón) a druhého, ktorého pozorovaná vlastnosť (napr. výška tónu) sa počas experimentu mení. V zásade sa snažíme získať informáciu o hornom a dolnom prahu počuteľného rozdielu medzi premenným a konštantným podnetom. Testovaná osoba pritom odpovedá na otázku, či dva zvuky vníma ako rovnaké alebo rozdielne. Prahovým intervalom alebo intervalom neurčitosti (angl. interval of uncertainty) potom nazývame rozdiel medzi horným a dolným prahom. V akustike sa často používa i tzv. prahový koeficient (angl. quotien limen - QL), ktorý udáva pomer horného alebo dolného prahu od veľkosti štandardného podnetu.

Metóda konštantných podnetov

Metóda konštantných podnetov, tiež nazývaná ako metóda konštánt a ako frekvenčná metóda, bola prvýkrát popísaná v roku 1852 Friedrichom Hegelmaierom a rozpracovaná Fechenrom. Namiesto prezentácie podnetov vo vzostupujúcom alebo zostupujúcom poradí sú v tejto metóde stimuly prezentované v náhodnom poradí. Tento spôsob testovania zabráni probantovi predpovedať vlastnosti nasledujúceho stimulu a tak i redukuje chyby vzniknuté vplyvom jeho „adaptácie“ a „očakávania“. Testovaná osoba počas experimentu odpovedá na otázky typu „áno-nie“ ak ide o dvojkategoriálny test, alebo „menší-rovnaký-vačší“ ak ide o trojkategoriálny test.

Výsledky sa obyčajne vypočítajú z frekvencií odpovedí a prah sa určuje ako medián získaného rozloženia odpovedí.

Metóda prispôsobenia

Metóda prispôsobenia príp. metóda priemernej chyby sa vyznačuje tým, že je to práve testovaná osoba a teda nie operátor testu, kto nastavuje vlastnosti (premenného) podnetu. Testovaná osoba sa takpovediac testuje sama prostredníctvom prispôsobenej počitačovej aplikácie alebe napr. potenciometra.

Touto metódou je možné určiť ako absolútnu, tak i diferenciálnu citlivosť. Rozdielom oproti metóde limitov je aj to, že testovanie neprebieha v krokoch ale spojito. Napr. v prípade testovania JND výšky tónu dostane testovaná osoba ako konštanantný stimul tón o určitej frekvencii a jej úlohou je nastaviť daný podnet tak, aby bol od etalónu počuteľne odlišný. Experiment možno zopakovať aj „druhým smerom" tak, že probant má za úlohu nastaviť premenný podnet tak aby bol rovnaký ako tzv. etalón. Takýto test potom probant samozrejme opakuje niekoľkokrát.

Výhoda tejto metódy spočíva v jej jednoduchosti a rýchlosti. Problémom je však tzv. overjudgement effect ktorý má za následok, že probant nastaví hodnoty väčšie ako v skutočnosti sú (Scharf 1961b). Na citlivosť experimentu má tiež i vplyv potenciometra, t.j. koľko „otáčok" je potrebných na využitie celého dynamického rozsahu (Stevens a Poulton 1956).

4.4.2 Škálovacie metódy

Metóda párových porovnaní

Metóda párových porovnaní vyjadruje preferenciu medzi dvoma podnetmi prezentovaných v pároch. V prípade jedného páru ide o porovnanie A a B v prípade troch stimulov budeme porovnávať A–B, B–C a A–C a pod. Počet porovnaní sa vypočíta ako $n(n\text{-}1)/2$ kde n je počet zvukových podnetov použitých v teste. Cieľom testu je zistiť počet preferencií pre každý podnet vzhľadom k ostatným stimulom v testovacom súbore. Pri testovaní akustických podnetov je prestávka medzi porovnaniami približne 1 sekunda.

Sila tejto metódy spočíva v jej jednoduchosti, priamočiarosti a pochopiteľnosti.

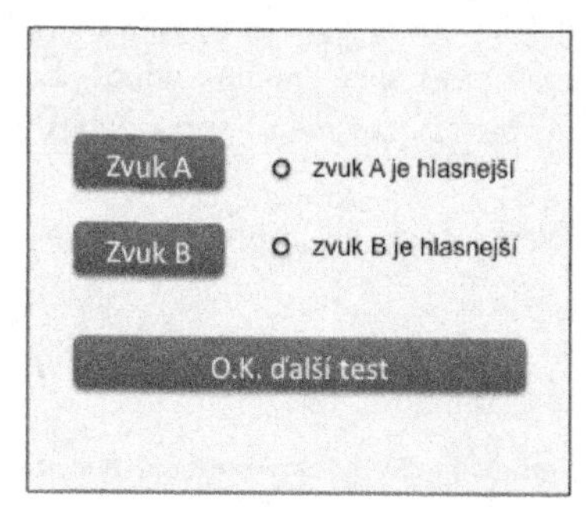

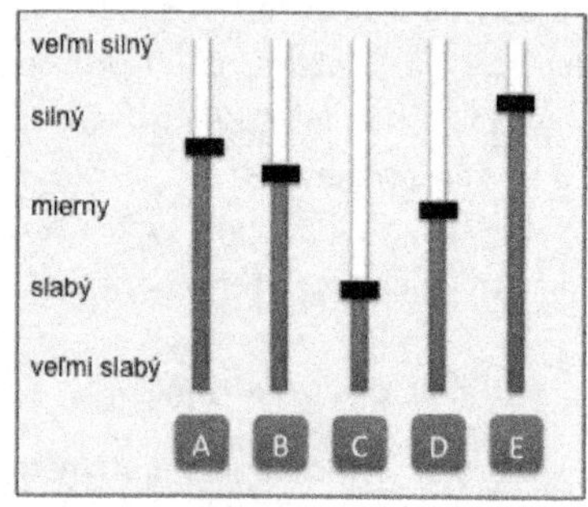

Obr. 12 Príklad interface pre testovanie metódou párových porovnaní (vľavo) a ilustrácia testu pri použití metódy odhadu veľkosti (vpravo).

Zároveň umožňuje poslucháčovi postihnúť i malé rozdiely medzi stimulmi. Nevýhodou môže byť niekedy veľký počet porovnaní a tým i dĺžka testu. Testovať sa totiž odporúča nielen kombinácia A-B ale aj B-A. Pri skúmaní vnímania intenzity zvuku sa totiž ukázalo, že ak človeku prezentujeme dva stimuly s rovnakou intenzitou, prvý stimul je obyčajne vnímaný ako hlasnejší (Susini et al 2007).

Pri párovom porovnaní častokrát využívame tzv. nútenú voľbu (angl. two alternative force choice - 2AFC, niekedy tiež označovanú ako TAFC) pri ktorej sa testovaná osoba sa musí rozhodnúť medzi dvoma alternatívami. Neutrálna odpoveď ako napr. „neviem" teda v tomto teste nie je možná (McNicol 1972). Obr. 12 - vľavo prináša ukážku testovania 2AFC metódou.

Metóda odhadu veľkosti

Ďalšími psychofyzikálnymi metódami používanými v akustike sú odhad veľkosti (angl. magnitude estimation) Obr. 12 - vpravo a odhad produkcie (angl. magnitude production). Pri odhade veľkosti má testovaná osoba za úlohu číselne zhodnotiť napr. intenzitu vnemu od prezentovaného podnetu. Pri odhade produkcie je situácia v podstate inverzná a úlohou testovanej osoby je v tomto prípade nastaviť intenzitu vnemu podľa daného čísla. Tento typ metódy bol v minulosti použitý napr. pri určení vzťahu medzi hlasitosťou (son) a hladinou hlasitosti (phon).

Nominálna, poradová, intervalová a pomerová škála

Pri použití tzv. nominálneho hodnotenia, testovaná osoba klasifikuje stimuly do určitej kategórie alebo skupiny na základe ich kvalitatívnych vlastností bez určenia ich veľkosti alebo poradia. Pri hodnotení ľudského hlasu to môže byť napr. „ženský - mužský - detský hlas", alebo pri hodnotení hudby „disco – pop – rock - klasika".

Pri testovaní poradovou škálou (angl. ranking method) má osoba testovaná zvukovými stimulmi za úlohu ich zoradenie podľa sledovanej črty, ktorou môže byť výška tónu, hlasitosť, rušivosť či vnímanie vzdialenosti od zdroja zvuku. Poradová škála sa niekedy uvádza i pod pojmom ordinálna a nemusí mať rovnaké intervaly na prezentovanej stupnici.

Intervalová škála (angl. rating method) nám umožňuje hodnotenie zvukových stimulov prostredníctvom *n*-číselnej stupnice napr. (1-5 alebo 1-9 a pod.) alebo prostredníctvom sémantického diferenciálu, teda slovne. Testovaná osoba pri hodnotení stimulu najčastejšie vypĺňa dotazník. Spomenutá stupnica obyčajne nemá nulový začiatok a vzdialenosť medzi susednými hodnotiacimi polohami je rovnaká. Pravidelné intervaly nám umožňujú využitie matematických operácií, ktoré sú pri použití poradovej škály neaplikovateľné.

Niektorí autori psychofyzikálnych testov ako napr. Bech (1996), odporúčajú použiť hodnotenie na čiare bez indikácie čísel, aby sa probant sám mohol rozhodnúť o jej dynamickom rozsahu.

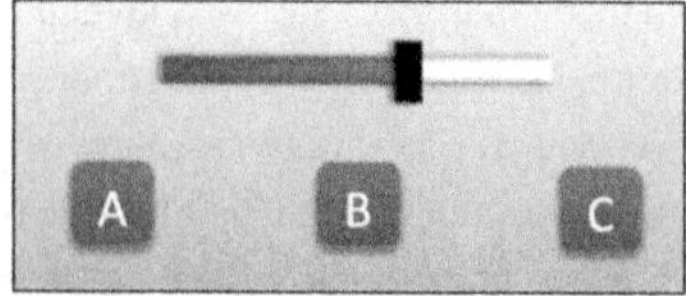

Obr. 13 Schematická ilustrácia testovania poradovou škálou (vľavo) a pomerovou škálou (vpravo)

Pri hodnotení pomerovou škálou (angl. ration evaluation) sú testovanej osobe prezentované tri podnety A, B a C, pričom B leží medzi A a C. Testovaná osoba má za úlohu určiť vnímanie stimulu B tak, aby interval A-B a B-C zodpovedal jeho vnímaniu.

Multidimenzionálne škálovanie

Nie všetky akustické vlastnosti je možne popísať pomocou jednej veličiny, t.j. jednorozmerne. Najmä ak ide o kvalitatívne hodnotenie komplexného zvuku napr. v parku, na námestí či v reštaurácii. Multidimenzionálne škálovanie (angl. multidimensional scaling - MDS) nám, umožňuje analýzu viacerých čŕt súčasne. Možno ho považovať i za určitý typ faktorovej analýzy, ktorá má za úlohu zistiť skryté rozmery medzi prezentovanými stimulmi. Multidimenzionálne škálovanie nám teda pomáha pri vysvetlení rozdielov a podobností medzi stimulmi. Príklad multidimenzionálneho hodnotenia zvukosféry (angl. soundscape assesment) je zobrazený na Obr. 14.

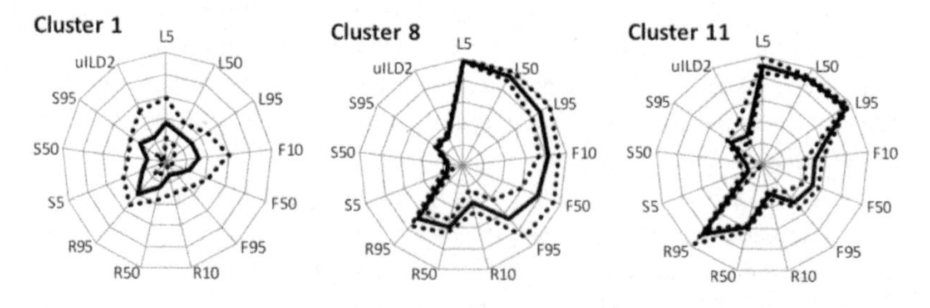

Obr. 14 Príklad multidimenzionálnej analýzy zvukosféry prostredníctvom 13-tich veličín (Rychtáriková a Vermeir 2013)

4.4.3 Testovanie úlohami

Testovanie úlohami (angl. task experiments) sa používa pri skúmaní vplyvu stimulu na určitú aktivitu. Vyznačuje sa tým, že testovaná osoba počas experimentu rieši určitú úlohu, napr. riešenie matematických problémov, memorizovanie súboru slov alebo zmontovať nábytok. Cieľom je zistiť ako napr. určitý zvukový stimul a jeho intenzita ovplyvní výkonnosť človeka pri riešení danej úlohy. Pri testovaní úlohami môžeme merať reakčný čas, množstvo zapamätaných slov, správne vyriešených problémov alebo urobených chýb ako aj počet zmontovaných skriniek.

Tento typ testu má široké uplatnenie a používa sa napr. pri zisťovaní do akej miery ten či onen hluk ovplyvní žiaka pri písaní domácich úloh alebo aký typ hudby najlepšie stimuluje športovca pri tréningu.

4.4.4 Psychometrická funkcia

Psychometrická funkcia popisuje vzťah medzi objektívnym stimulom a jeho subjektívnym hodnotením. Je v podstate špeciálnym prípadom všeobecného lineárneho modelu (angl. Generalized linear model – GLM) používaného v štatistike. V závislosti na počte možností odpovedí pri psychofyzikálnom testovaní experimentálneho predpokladu rozoznávame jednoduchú nútenú voľbu (angl. simple forced choice) známu ako „ano – nie" odpoveď, dvoj-alternatívnu nútenej voľbu (angl. two-alternative forced choice - 2AFC) a n-alternatívnu nútenú voľbu (angl.n-alternative forced choice).

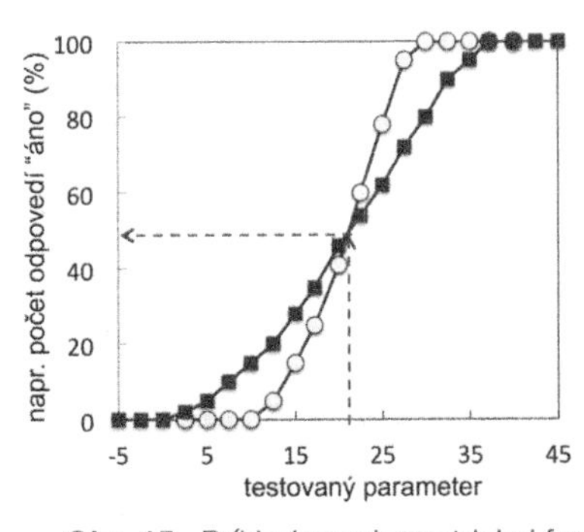

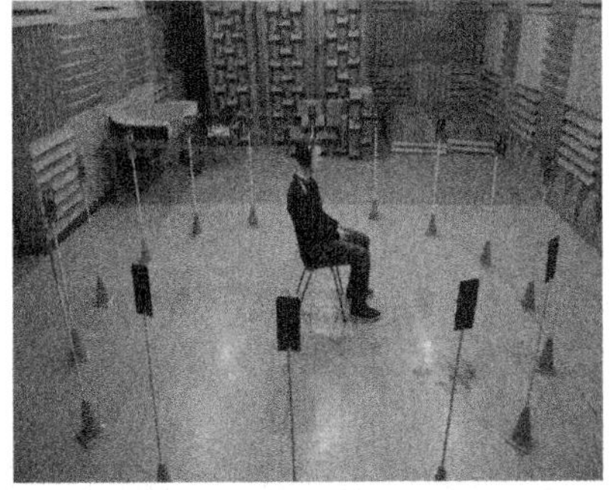

Obr. 15 Príklad psychometrickej funkcie (vľavo) a ukážka osoby počas psychakustického testu lokalizácie zdroja zvuku v horizontálnej rovine, v bezdozvukovej komore (vpravo)

Predstavme si prípad jednoduchej nútenej voľby testovania, v ktorom nás zaujíma prah počutia signálu v určitom type šumu. V experimente budeme testovanej osobe prezentovať vybraný signál, pričom budeme meniť jeho intenzitu (intenzita šumu ostane konštantná). V niektorých prípadoch bude signál počuť lepšie, v niektorých horšie, v niektorých bude testovaná osoba váhať a v niektorých prípadoch ho nebude počuť vôbec, pretože bude úplne maskovaný šumom. Testovaná osoba bude mať za úlohu odpovedať „áno alebo nie" podľa toho, či zvukový signál počuje alebo nie. Ak zvukové stimuly niekoľkokrát zopakujeme, získame určité štatistické dáta a môžeme skonštruovať tzv. psychometrickú funkciu (Obr. 15). Psychometrická funkcia nám v tomto prípade popíše pravdepodobnosť (v percentách) s akou testovaná osoba bude signál počuť pri určitom pomere signálu k šumu. Psychometrická funkcia je obyčajne normálnou kumulatívnou početnosťou.

Je dôležité si uvedomiť, že pri vyhodnotení výsledku musíme zadefinovať, čo je našim kritériom. Jedným spôsobom definície môže byť výsledok pre hodnotu 50% alebo 90% ale kritériom môže byť aj interval neurčitosti (Poulsen 2007).

Na tomto príklade experimentu počutia rozpoznania signálu v šume, môžeme demonštrovať i problém kalibrácie „meracieho zariadenia", ktorým je v našom prípade človek. Každá testovaná osoba je totiž úplne iná. Niektorí ľudia povedia „áno" až keď si budú úplne istý že signál počujú, iní budú zase oznamovať jeho počutie už v momente jeho čo i len najmenšieho výskytu. Problém kalibrácie človeka, ktorý označujeme aj jeho kritériom, je možné vyriešiť pomocou tzv. detekčnej teórie (angl. detection theory), v ktorej kritérium osoby vieme z analýzy vylúčiť.

4.4.5 Všeobecné zhrnutie

Pri každom type psychoakustického testu je dôležité dodržať určité pravidlá. Všeobecne platí, že každá testovaná osoba, ktorá sa experimentu zúčastní, by mala od inštruktora testu dostať rovnaké vysvetlenie o tom ako bude test prebiehať. Súčasne je dôležite testované osoby vždy upozorniť, že ide o psychoakustický experiment a teda, že test neobsahuje správne a nesprávne odpovede ako napr. na skúške z matematiky.

Cieľom testovania je zistiť ako ľudia vnímajú zvuk, aké sú ich preferencie a čo ovplyvňuje ich akustické vnímanie a najdôležitejšie je aby testované osoby odpovedali pravdivo.

Pri porovnávaní rôznych zvukových vnemov je doporučená čo najväčšia randomizácia stimulov. Náhodné poradie prezentácie stimulov musí byť dodržané ako v rámci jednej testovanej osoby tak aj medzi osobami ako takými, tj. aby osoby neposudzovali podnety v tom istom poradí. Je totiž známe, že poradie stimulov môže ovplyvniť výsledok testu s vyústením do tzv. systematickej chyby. Je totiž prirodzené, že odpovede v závere testu môžu byť menej presné z dôvodu únavy a zníženia schopnosti sústrediť sa. Naopak, odpovede prezentované v strede testu budú vo väčšine prípadov spoľahlivejšie vďaka vplyvu tréningu a adaptovania sa na test.

Pre správnu analýzu výsledkov odpovedí musí byť vždy zvolená vhodná štatistická metóda (Montgomery 2001, Cohen 1988, Stone a Sidel 1993) prostredníctvom ktorej môžeme zistiť, či je výsledok štatistický významný (angl. statisticaly significant) alebo nie.

Psychoakustické testovanie so zameraním na posúdenie zvukovej izolácie by sa mali zameriavať najmä na zistenie vzťahu medzi vnímanou hlasitosťou zvuku (príp. jeho rušivosťou či obťažovaním) a objektívnym hodnotením zvukovej izolácie stavebných konštrukcií s cieľom hľadania vhodných objektívnych veličín.

Pri testovaní v laboratórnych podmienkach sa ukazuje ako výhodnejšie zamerať sa na skúmanie vnímania hlasitosti zvuku. Vnímania tzv. obťažovania hlukom ovplyvňuje veľké množstvo faktorov a emócií súvisiacich s činnosťou človeka a pod. Laboratórne podmienky tiež úplne nezodpovedajú situácii ľudí v ich vlastných bytoch. Preto napr. hluk od susedov prezentovaný v laboratórnom experimente nemusí ľudí obťažovať tak ako by tomu bolo v domácnostiach. Spomenuté, nie je spôsobené len umelým prostredím laboratória ale i z dôvodu krátkodobého pôsobenia stimulov o nízkych intenzitách.

4.5 Štatistické kritériá

4.5.1 Testovanie štatistických hypotéz

Štatistická hypotéza je určitý predpoklad o rozdelení náhodných veličín. Testovanie štatistických hypotéz nám umožňuje posúdiť, či experimentálne získané dáta vyhovujú nášmu predpokladu. Pri posúdení zvukovej izolácie alebo hluku od susedov môže byť hypotézou napr. to, že nízkofrekvenčný zvuk je pri tej istej intenzite ako vysokofrekvenčný rušivejší, alebo že určitý typ konštrukcií ochráni priestor z hľadiska hluku lepšie ako iné typy.

Testovacie kritérium

V prípade testovania štatistických hypotéz sa využíva testovacie kritérium (angl. significance criterion) na základe ktorého rozhodujeme o potvrdení alebo zamietnutí tzv. nulovej hypotézy. Pri formulovaní samotnej hypotézy je potrebné určiť kritickú hodnotu obyčajne označovanú ako „α“, ktorá určuje hladinu štatisticky významného rozdielu. Rozhodnutie o prijatí alebo zamietnutí hypotézy potom realizujeme na základe vypočítanej p - hodnoty (angl. p - value). Čím je táto hodnota nižšia, tým je štatistický rozdiel významnejší. V prípade psychologického testovania je α obyčajne stanovená ako hodnota 0,05, t.j. 5% a hypotéza štatisticky potvrdená hodnotou 0,01 sa obyčajne považuje za silný trend.

Praktická významnosť a veľkosť účinku

To, že výsledok psychoakustického testu je štatisticky signifikantný automaticky neznamená, že je dôležitý alebo zaujímavý z praktického hľadiska. Pri posúdení výsledku z hľadiska praktickej signifikancie sa preto používa výpočet tzv. veľkosti účinku (angl. effect size), ktorý je v podstate mierou sily javu nezávislého na jednotkách merania (Myers 2003).

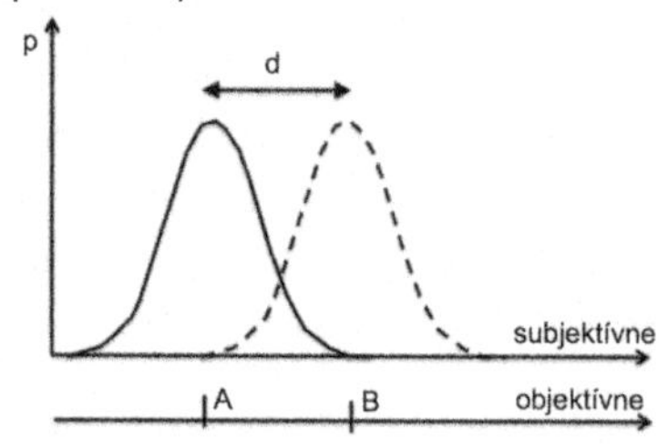

Obr. 16 Frekvenčná distribúcia veličiny pre určitú hladiny podnetu

Najčastejšie používaným koeficientom pri určení veľkosti účinku je d -hodnota, tzv. Cohenov koeficient (Cohen 1988) ktorý nám medziiným pomáha i rozhodnúť o správnom počte testovaných osôb.

Vo všeobecnosti existuje i závislosť medzi kritériom významnosti, veľkosťou vzorky, silou a veľkosťou účinku. Ich vzájomná závislosť je taká, že akonáhle sú tri z nich definované, štvrtý parameter je nimi automaticky určený.

4.6 Požiadavky na posluchovú miestnosť

4.6.1 Akustické laboratórium pre posluchové testy

Subjektívne posúdenie zvukovej izolácie si oproti testovaniu v priestorovej akustike vyžaduje veľmi špeciálne okrajové podmienky. Medzi najdôležitejšie bez pochýb patria zvýšené akustické požiadavky na posluchovú miestnosť. Väčšina stimulov v testovaní hluku od susedov totiž dosahuje len veľmi nízke hladiny akustického tlaku. I všeobecne nízke hodnoty hluku pozadia (okolo 30 dB(A)) môžu teda veľmi vážne ovplyvniť experiment a to niekedy až do takej miery, že výsledok prinesie presný opak. Posluchovú miestnosť preto nestačí len kvalitne odizolovať od vonkajšieho prostredia, ale je potrebné z jej interiéru odstrániť i všetky zariadenia, ktoré produkujú čo i len najmenší zvukový signál. V praxi to znamená, že v posluchovej miestnosti nesmie byť ani dataprojektor, osobný počítač príp. niektoré typy žiaroviek.

Obr. 17 Akustické laboratórium, KU Leuven. Ukážka zvukovej pohltivosti (vľavo) a izolácie proti vibráciám (vpravo)

Pri prezentovaní stimulov prostredníctvom slúchadiel nie je podmienkou, aby miestnosť bola anechoická (tak ako pri prezentácii cez reproduktorové sústavy), avšak je veľmi výhodé ak sú vnútorné povrchy miestnosti upravené zvukovopohltivým materiálom. Akýkoľvek zvuk, ktorý testovaná osoba počas testu vyprodukuje (ako napr. dýchanie, pohyby stoličky a pod) sa takto utlmí a neovplyvní test.

Posluchová miestnosť by nemala mať okná, cez ktoré by sa mohli testovanej osobe poskytnúť rôzne vizuálne stimuly nesúvisiace s testom. Z rovnakého dôvodu sa odporúča, aby počas experimentu bola v miestnosti prítomna vždy len jedna osoba. Operátor testu by mal počas testu tiež nachádzať v inej miestnosti.

4.7 Kontext a spoločensko-kultúrne vplyvy

Pri posúdení zvuku príp. tzv. zvukosféry, hrá úlohu nielen jeho objektívna a frekvenčná a časová charakteristika ale i ďalšie subjektívne či objektívne faktory. Všetci dobre poznáme situáciu, pri ktorej nás i slabší zvuk bude obťažovať viac ako zvuk s relatívne vyššou hlasitosťou ale objektívne príjemnejšou informáciou. Známym príkladom je porovnanie škripotu nechtov o tabuľu z relatívne nízkou zvukovou intenzitou a koncert obľúbenej kapely dosahujúci vyššie hodnoty hladiny akustického tlaku.

Na vnímanie príjemnosti zvuku ďalej napríklad vplýva, či jeho reguláciu máme takpovediac pod kontrolou, akú činnosť pri jeho vnímaní práve vykonávame, ako sa celkovo cítime a pod. Ak napríklad varíme, pozeráme televíziu alebo vysávame, vnímame sprievodný zvuk ako normálny aj napriek tomu že dosahuje omnoho vyššie hladiny akustického tlaku než napr. hluk od susedov, sa sa naň málokedy sťažujeme. Je prirodzené, že rôzne aktivity, ktoré vykonávame sprevádzajú zvukové signály na ktoré sme zvyknutý a tiež máme aktivitu produkujúcu zvuk „pod kontrolou".

Zvuk od susedov je pre nás obyčajne príťažou, keďže nesprevádza žiadnu z našich činností a nemáme ani informáciu o tom kedy skončí.

Ďalším faktorom pri posúdení je naša skúsenosť, národnosť, príslušnosť k určitej sociálnej skupine a pod. Už v minulom storočí bol hluk od susedov veľmi diskutovanou témou. V medzivojnovom Holandsku dokonca celá situácia nabrala taký politický rozmer, že sa diskusie dostali do mestských a provinčných parlamentov. Situácia sa zdramatizovala rozšírením cenovo prístupných gramofónov a rádií do domácností.

Konzervatívni politici v diskusiách obhajovali aristokraciu a vzdelanejšiu časť populácie, ktorá sa sťažovala na hluk v nočných hodinách, šíriaci sa z robotníckych štvrtí. Argumentovali tým, že hluk zabraňuje kvalitnému spánku, potrebnému k vykonávaniu mentálnej práce. Ľavicoví politici, zástancovia robotníckej triedy zase obhajovali správanie fyzicky pracujúcich, ktorí po celodennej fyzickej práci potrebovali moment uvoľnenia a trávili svoj večer pri hlučnom zvuku rádia či gramofónu. Obyvatelia robotníckych štvrtí argumentovali tým, že sa navzájom nerušia, pretože všetci robotníci v štvrti majú rovnaký pracovný čas a počúvajú tú istú stanicu v rozhlase.

Konzervatívna časť populácie zase argumentovala tým, že hluk z rádia alebo gramofónu je omnoho rušivejší než hudba hraná muzikantmi, pretože ho je možné produkovať súvisle i niekoľko hodín, pričom umelec, ktorý hrá na hudobný nástroj ruší menej, keďže maximálna intenzita zvuku je obmedzená akustickým nástrojom bez elektroakustického zosilňovača a muzikant tiež nehrá nekonečne dlho, lebo z času na čas si musí urobiť prestávku, aby sa napil alebo si zafajčil (Bijsterveld 2008).

V tomto období teda šéf Amsterdamskej polície pán Bekker požiadal profesora akustiky z univerzity v Delfte Cornelia Zwikkera o vytvorenie meracieho zariadenia pre objektívne meranie hluku. Prvý holandský zvukomer bol teda na svete a bol pomenovaný ako Silencia. Zaujímavosťou snáď je, že dokázal merať len hodnoty hladín akustického tlaku nad 80 dB.

Na zamyslenie

Iným príkladom je vnímanie zvuku a hluku rôznymi národmi. Situáciu môžeme prirovnať k rôznorodosti medzinárodnej kuchyne. Niektoré národy uprednostňujú jednoduché jedlá bez veľkého množstva pridanej soli či korenia. Iné národy ako napr. Taliani neradi kombinujú veľa chutí v rámci jedného jedla, pričom v Tureckej alebo Indickej kuchyni je opak pravdou. Niektoré národy ako Francúzi si nevedia predstaviť hlavné jedlo bez bagety alebo chleba, pričom v ázijskej kuchyni sa chlieb ako ho poznáme azda ani nevyskytuje. Čo chutí jednému alebo určitej skupine ľudí, nemusí chutiť inej skupine a čo vadí pri vnímaní zvuku jednej skupine, to môže byť pre inú skupinu ľudí úplne normálne. A tak ako na niektoré nové jedlá, tak aj na nový typ zvukosféry sa dá časom zvyknúť.

Vnímanie komplexných zvukov ako takých je teda príslušníkmi rôznych národov rozdielne. Vo všeobecnosti však platí, že v prítomnosti iba jedného alebo dvoch zdrojov zvuku považujeme väčšinou akustickú situáciu za nudnú. Akonáhle sa zdrojov zvuku objaví viac, začneme považovať situáciu za zaujímavú, ak je zvukov tak veľa že ich už ani nevieme rozpoznať zhodnotíme situáciu ako „prebudenú" a analógia s jedlom platí aj v tomto prípade. Presolená a prekorenená kombinácia všetkých chutí pravdepodbne nepoteší nikoho.

5 Vzduchová nepriezvučnosť

Stavebná akustika je vedný odbor zaoberajúci sa šírením zvuku cez stavebné konštrukcie v budovách. Tento vedný odbor sa teda nezaoberá kvalitou zvuku, znenia hudby alebo zrozumiteľnosťou reči v priestore ako takom, čo je predmetom priestorovej akustiky, ale zvukovou izoláciou deliacich konštrukcií. Vo všeobecnosti rozlišujeme nepriezvučnosť na vzduchovú, krokovú a štrukturálny hluk z technických inštalácií. V tejto kapitole sa budeme zaoberať len vzduchovou nepriezvučnosťou.

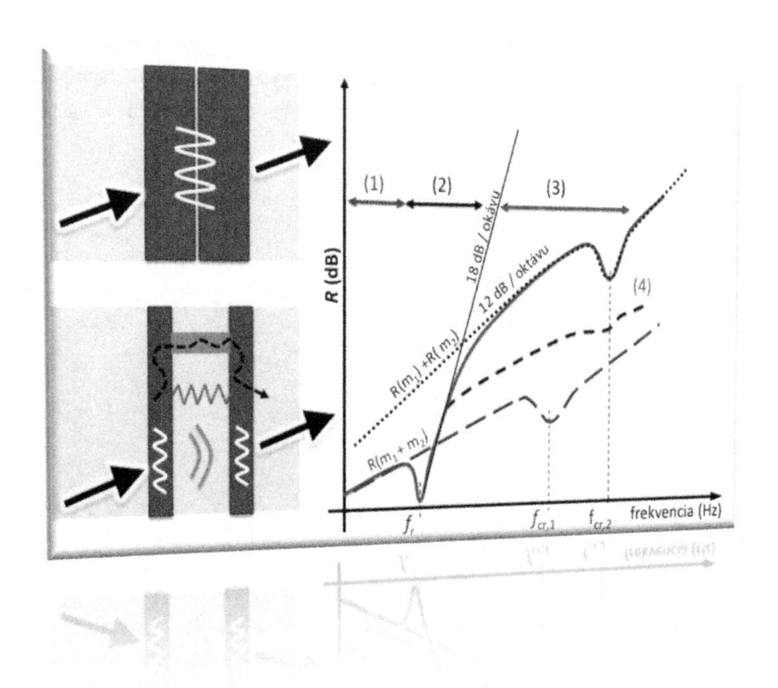

5.1 Úvod

Vzduchová nepriezvučnosť je schopnosť stavebného prvku (napr. steny, stropu, okna či dverí) izolovať chránený priestor ako napr. obývačka, spálňa, školská trieda či konferenčná miestnosť od zvuku šíriaceho sa vzduchom. Z fyzikálneho hľadiska sa energia od zdroja zvuku v tzv. vysielacej miestnosti šíri vzduchom a dopadá na deliacu konštrukciu, ktorou je neskôr vyžiarená do tzv. prijímacej miestnosti.

Zvuku šíriaci sa vzduchom môže mať rôzne frekvenčné a temporálne vlastnosti. Preto ak chceme aby naša deliaca konštrukcia bez problémov odizolovala zvuk plačúceho dieťaťa, rozprávajúceho učiteľa, brešúceho pesa, či zvuk z rádia, musí byť schopná zabrániť prestupu zvuku vo všetkých frekvenciách.

Ak analyzujeme zvuk, ktorý vznikne nárazom predmetu o konštrukciu, obyčajne o stropnú konštrukciu vplyvom chôdze či spadnutého predmetu, hovoríme o tzv. krokovej nepriezvučnosti. V Európskej literatúre sa pre tento typ šírenia zvuku používa anglický termín tzv. „impact noise“, t.j. nárazový hluk, ktorý celkový problém nepriezvučnosti vystihuje lepšie a spadá sem i nepriezvučnosť spôsobená nárazom vo vertikálnom smere, napr. zvuk z kuchyne, zabíjanie klincov či vŕtanie do steny a pod.

Pod pojmom štrukturálny hluk rozumieme zvukové vlny v stavebnej konštrukcii, ktoré sa šíria od technických zariadení budov ako napr. klimatizácia alebo kanalizácia. Tiento typ hluku je nepríjemný jeho kontinualitou a nepríjemnými tonálnymi komponentmi.

Nezanedbateľným šírením hluku v budovách je i tzv. šírenie zvuku bočnými cestami (angl. flanking transmission). Preto ak chceme charakterizovať určitý prvok ako napr. stena alebo strop, musíme meranie uskutočniť v akustickom laboratóriu, ktoré vďaka jeho špeciálnej konštrukcii šíreniu zvuku bočnými cestami zabraňuje.

5.2 Šírenie zvuku v stavebnej konštrukcii

Zvukovú izoláciu môžeme vyjadriť rôznymi spôsobmi. Najčastejšie vychádzame z vysvetlenia prostredníctvom tzv. súčiniteľa priezvučnosti τ (-) (angl. transmission coefficient).

Súčiniteľ priezvučnosti je pomerná veličina, ktorú môžeme zadefinovať ako pomer medzi vyžiarenou E_t a celkovou, na konštrukciu dopadnutou E_i zvukovou energiou:

$$\tau = \frac{E_t}{E_i} (-) \qquad (15)$$

Súčiniteľ priezvučnosti nadobúda hodnoty medzi 0 a 1. Ak platí, že $\tau = 0$ konštrukcia teoreticky do prijímacej miestnosti nevyžiari žiadnu zvukovú energiu, čo samozrejme v reálnej situácii nie je ani za laboratórnych podmienok možné. V prípade, že $\tau = 1$ konštrukcia teoreticky prepustí všetku zvukovú energiu, pre popis ktorej môžeme v literatúre nájsť pojem „otvorené okno" (Tomašovič et al 2011).

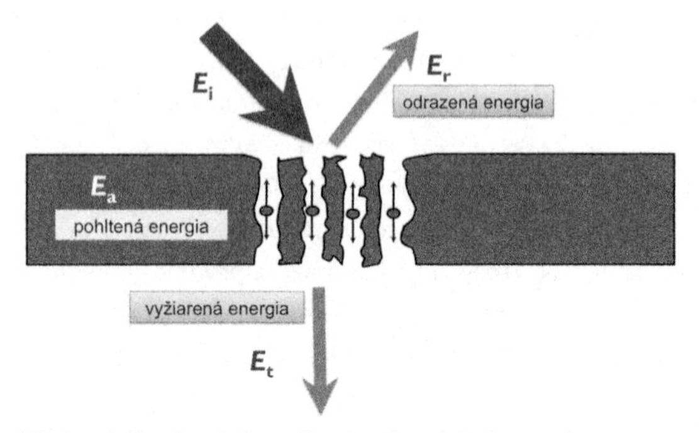

Obr. 18 Zjednodušená schéma šírenia akustickej energie cez materiál

Obr. 18 prináša schematické vyjadrenie šírenia zvukovej energie cez materiál. E_i je celková zvuková energia dopadajúca na povrch materiálu vo vysielacej. E_r je zvuková energia odrazená od materiálu a skladá za z energie ktorá sa priamo odrazí od povrchu (v závislosti od súčiniteľa odrazu) a z energie vyžiarenej materiálom späť do vysielacej miestnosti. E_a je zvuková energia pohltená materiálom a tak, že jej časť sa vplyvom trenia v materiáli a vplyvom odporu materiálu proti rozkmitaniu mení na teplo. E_t je zvuková energia vyžiarená daným materiálom (alebo stavebnou konštrukciou) do prijímacej miestnosti priamou alebo nepriamou cestou.

5.3 Vzduchová nepriezvučnosť

Medzi základné a všeobecne známe veličiny, ktorými štandardne popisujeme zvukovoizolačné vlastnosti deliacich stavebných konštrukcií patrí stupeň laboratórnej vzduchovej nepriezvučnosti R (dB) a stupeň stavebnej vzduchovej nepriezvučnosti R' (dB). Obe veličiny vyjadrujú, kvalitu zvukovej izolácie deliacej konštrukcie v tretinooktávach, t.j. pri rôznych frekvenciách. Metóda merania spomenutých veličín je medzinárodne štandardizovaná a je popísaná v medzinárodnej norme ISO 10140.

Pre rýchle porovnanie produktov, je výhodné pracovať s jednočíselným hodnotením. V prípade vzduchovej nepriezvučnosti sa najčastejšie používa laboratórny index vzduchovej nepriezvučnosti R_w (dB) a stavebný index vzduchovej nepriezvučnosti R'_w (dB). Spomenuté jednočíselné hodnotenie je tiež medzinárodne akceptované v ISO 717 a podrobnejšie bude popísane v nasledujúcej kapitole.

V akustickej praxi na Slovensku je jednočíselná hodnota R_w (dB) príp. R'_w (dB) porovnávaná s minimálnymi požiadavkami pre daný objekt a chránenú miestnosť, uvedenými v Slovenskej norme STN 73 0532.

5.3.1 Laboratórne merania

Ak máme za úlohu určiť zvukovoizolačné vlastnosti stavebného prvku, ktorým môže byť napr. stena, strop, okno, dvere a pod., musíme meranie previesť podľa normy ISO 10140 v akustickom laboratóriu, v ktorom nedochádza k šíreniu zvuku bočnými cestami do takej miery aby ovplyvnili výsledok merania. Tzv. vysielacia a prijímacia miestnosť akustického laboratória (Obr. 20 a Obr. 21) je realizovaná systémom „room in room" (Obr. 19), t.j. miestnosť v miestnosti a ich ohraničujúce konštrukcie majú podstatne väčšiu hmotnosť než posudzovaný stavebný prvok.

Pri výpočte laboratórneho stupňa vzduchovej nepriezvučnosti R (angl. sound reduction index) teda predpokladáme, že celá zvuková energia vyprodukovaná vo vysielacej miestnosti bude prenesená do prijímacej, práve cez konštrukciu ktorú testujeme a môžeme ho vyjadriť podľa vzťahu:

$$R_f = 10\log\frac{1}{\tau} = 10\log\frac{W_i}{W_t}(\mathrm{dB}) \tag{16}$$

kde τ (-) je súčiniteľ priezvučnosti, W_i je akustický výkon dopadajúci na testovaný stavebný prvok a W_t je akustický výkon vyžiarený týmto prvkom do prijímacej miestnosti.

V reálnej situácii však pri určení stupňa vzduchovej nepriezvučnosti R môže meranie ovplyvniť niekoľko ďalších faktorov. A keďže nechceme celú situáciu príliš komplikovať, berieme do úvahy pri jeho určení niekoľko ďalších predpokladov.

Zvukové pole v prijímacej a vysielacej miestnosti uvažujeme ako difúzne. Znamená to, že predpokladáme všesmerový dopad zvukových vĺn na testovanú konštrukciu, t.j. ako rovnomerný z hľadiska ich uhla dopadu. Vďaka predpokladu difúzneho pola predpokladáme, že v oboch miestnostiach laboratória je počas merania ustálená hladina akustického tlaku a že rozdiely medzi nameranými hladinami akustického tlaku v rámci vysielacej ako aj v rámci prijímacej miestnosti sú teda minimálne. Ďalej uvažujeme i to, že zvuková energia sa v čase ohraničujúcimi konštrukciami pohltí.

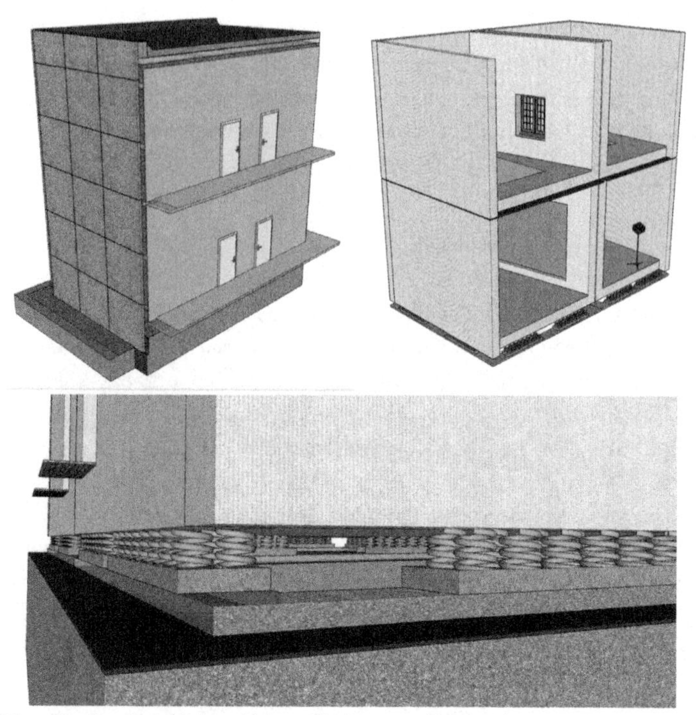

Obr. 19 Akustické laboratórium (KU Leuven, Belgicko)

Z praktického hľadiska si môžeme meranie predstaviť nasledovne. Vo vysielacej miestnosti reproduktorom vybudíme zvukové pole. Najčastejšie sa používa generovaný širokospektrálny ružový šum. Keď sa jeho hladina v miestnosti ustáli, na viacerých pozíciách mikrofónov (Obr. 21) snímame hladinu akustického tlaku L_{p1} (dB) vo vysielacej a L_{P2} (dB) v prijímacej miestnosti v celom zvukovoizolačnom frekvenčnom rozsahu. V prijímacej miestnosti na záver odmeriame i čas dozvuku, aby sme získali informáciu o zvukovej pohltivosti ohraničujúcich konštrukcií.

Pri určení stupňa vzduchovej nepriezvučnosti potom vychádzame zo vzťahu

$$R = L_{p1} - L_{p2} + 10\log\frac{S}{A}(\mathrm{dB}) \quad (17)$$

kde S (m^2) je plocha deliacej (testovanej) konštrukcie (v prípade stien a stropov obyčajne 10 m^2, u okien okolo 1 m^2 a pod), A (m^2) je celková efektívna zvuková pohltivosť v prijímacej miestnosti, teoreticky suma rozmerov vnútorných povrchov

(S_{VP}) v prijímacej miestnosti prenásobená váženým priemerom súčiniteľa zvukovej pohltivosti α (-)

$$A = \sum \alpha_i S_{VPi} (\text{m}^2) \tag{18}$$

V skutočnosti získame informáciu o veľkosti celkovej efektívnej zvukovopohltivej plochy A (m^2) na základe odmeraného času dozvuku T (s) v prijímacej miestnosti a jej známeho objemu V (m^3):

$$A = 0{,}161 \frac{V}{T} (\text{m}^2) \tag{19}$$

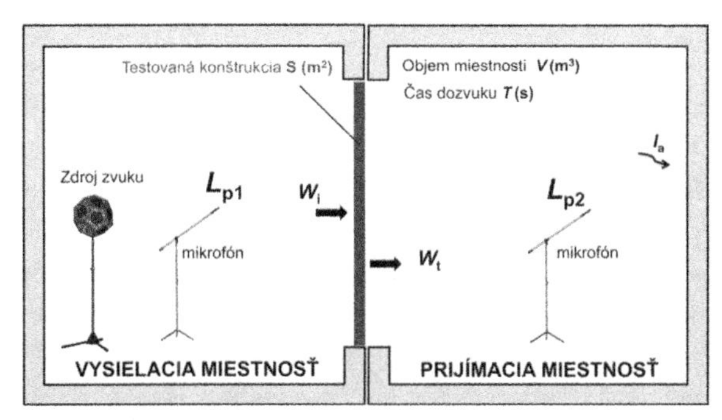

Obr. 20 Laboratórne meranie stupňa vzduchovej nepriezvučnosti. Priečny rez laboratóriom.

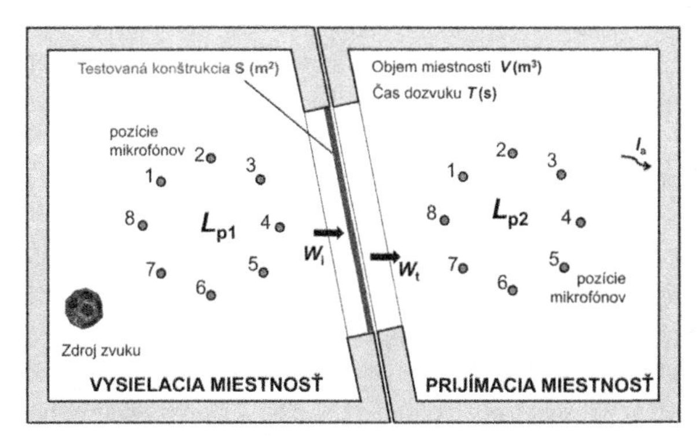

Obr. 21 Laboratórne meranie stupňa vzduchovej nepriezvučnosti. Pôdorys laboratória s indikáciou pozícií mikrofónov (1-8)

Stupeň laboratórnej nepriezvučnosti je závislý od frekvencie a preto jeho meranie prebieha v tretinooktávových pásmach. V súčasnosti je meranie *R* vo väčšine krajín EU záväzné od 100 – 3150 Hz a v niektorých krajinách v Škandinávii od 50 – 5000 Hz.

5.3.2 Merania zvukovej izolácie v budovách

Zvukovoizolačné vlastnosti prvku alebo sústavy prvkov môžeme získať buď meraním v akustickom laboratóriu alebo v reálnej budove. Výsledky z laboratórneho merania nám dávajú smerodajnejšiu informáciu o testovanom prvku ako takom a vďaka medzinárodne schváleným laboratórnym podmienkam môžeme jednotlivé konštrukcie medzi sebou lepšie porovnať.

Merania v konkrétnych budovách sú obyčajne ovplyvnené i šírením zvuku bočnými cestami a hovoria nám viac o zvukovej izolácii prvku po jeho integrácii do daného konštrukčného systému. Sú zároveň i meradlom kvality jeho realizácie na stavbe. V budovách obyčajne nie je možné zabrániť šíreniu zvuku bočnými cestami. Okrem samotných detailov spojov konštrukcií (ako napr. detail uloženia stropnej dosky na nosnú konštrukciu steny, či detail pri podlahe) má na akustickú izoláciu vplyv i spôsob inštalácie ventilačných potrubí, zabudovanie káblov, vodoinštalácie a pod. Typické možnosti šírenia zvuku bočnými cestami sú znázornené na Obr. 23.

Na šírenie zvuku bočnými cestami teda vplýva veľa faktorov, ktoré často pôsobia i súčasne. Pri meraní v konkrétnej situácii je klasickými akustickými metódami (t.j. setup reproduktor-mikrofón) veľmi zložité a ak nie úplne nemožné, určiť podiel tej či onej bočnej cesty na celkový výsledok merania.

V štádiu vývoja sú preto rôzne optické metódy (laserový vibrometer a akustická kamera), ktorými je možné získať presnejšie informácie o prenose zvuku deliacou konštrukciou a tak čiastočne identifikovať i bočné cesty. Akustická kamera sa v akustickej praxi využíva čoraz viac (Obr. 22 - vľavo) a získavame ňou predovšetkým kvalitatívne dáta pre stredné a vysoké frekvencie.

Skenovanie povrchu testovaného produktu použitím laserového vibrometra zase prináša možnosť získania informácie o zvukovej izolácii i v nízkych frekvenciách, ktoré súčasnými akustickými metódami nie je možné odmerať (Obr. 22 - vpravo). Výhoda optických metód spočíva v tom, že pri ich využití skenujeme informáciu o priezvučnosti konštrukcie priamo na jej povrchu a nie vo zvukovom poli prijímacej miestnosti, čím automaticky vylučujeme i chybu merania, ktorá by vznikla (najmä v nízkych frekvenciách) vplyvom vlastných módov prijímacej miestnosti

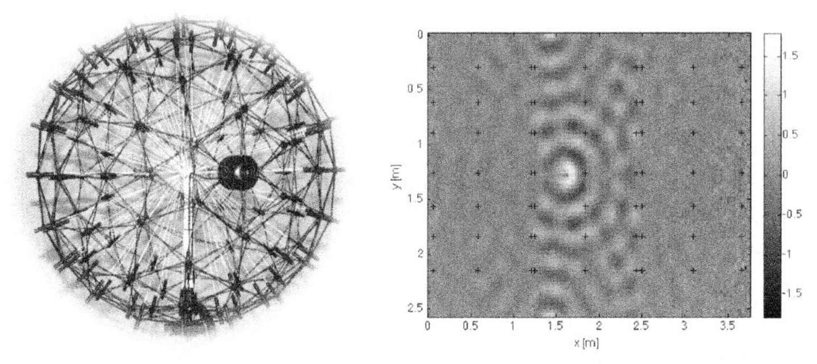

Obr. 22 Akustická kamera firmy Gfai (vľavo) a ukážka výsledku merania nepriezvučnosti časti steny laserovým vibrometrom

Šíreniu zvuku vedľajšími cestami ako napr. cez škáry, ventilačné potrubia, otvory a pod, je možné čiastočne zabrániť, avšak úplná izolácia chránenej bytovej jednotky, nemocničnej izby či kancelárie riaditeľa banky, by si vyžadovala vybudovanie tzv. miestnosti v miestnosti. Stavebný objekt a riešenie jeho detailov je výsledkom kompromisu medzi architektom, statikom, akustikom, tepelným technikom a pod.

Kvalitná zvuková izolácia si obyčajne vyžaduje elastické spoje, ktoré by v niektorých prípadoch museli byť zhotovené i v rámci nosnej konštrukcie, čím by v určitých prípadoch mohli narušiť stabilitu stavby, príp. by stavbu veľmi predražili. Ďalším problémom je i skutočná realizácia akustických detailov, kde hoci len malý nesprávne realizovaný detail môže spôsobiť veľký rozdiel vo výslednej kvalite zvukovej izolácie (Roozen et al 2015).

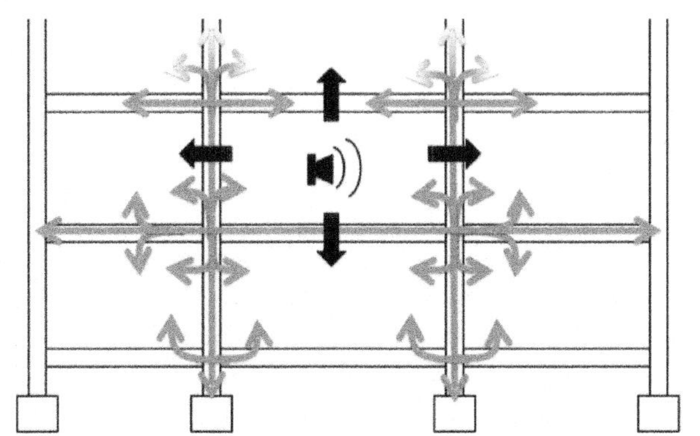

Obr. 23 Šírenie zvuku v reálnych objektoch. Priame cesty sú vyznačené hrubou čiernou šípkou a bočné cesty šedou farbou

V prípade merania v určitej konkrétnej budove vychádzame z predpokladu, že vyžiarená zvuková energia neprechádza iba stenou alebo stropom ale šíri sa i bočnými cestami. Uplatnenie výpočtu stupňa vzduchovej nepriezvučnosti rovnakým spôsobom ako v laboratóriu teda nie je možné. V reálnych objektoch teda meriame tzv. stupeň stavebnej (niekedy označovaný aj ako „zdanlivej") vzduchovej nepriezvučnosti alebo prostredníctvom učenia tzv. stupeň normalizovanej, príp. štandardizovanej zvukovej izolácie.

Stupeň stavebnej vzduchovej nepriezvučnosti vypočítame podľa rovnakého vzťahu ako laboratórny stupeň (17), avšak označujeme ho ako *R'*(dB).

Pri určovaní zvukovoizolačných vlastností stavebných konštrukcií z hľadiska vzduchovej nepriezvučnosti exituje ešte zopár ďalších veličín. Často používaným je napr. stupeň normalizovanej zvukovej izolácie D_n (dB).

$$D_n = L_{p1} - L_{p2} - 10\log\frac{A}{A_0}(\mathrm{dB}) \tag{20}$$

a stupeň štandardizovanej zvukovej izolácie D_{nT} (dB).

$$D_{nT} = L_{p1} - L_{p2} + 10\log\frac{T}{T_0}(\mathrm{dB}) \tag{21}$$

kde T je čas dozvuku v prijímacej miestnosti a T_0 = 0,5 s (čo je typická hodnota pre miestnosti v bytoch).

5.3.3 Výpočet indexu vzduchovej nepriezvučnosti

V tejto podkapitole sa dostávame ku kľúčovým otázkam, ktoré boli za posledných 10 rokov jednou z najdiskutovanejších tém v oblasti harmonizácie a revízie normy ISO 717-1.

Je všeobecne známe, že tzv. ťažké deliace stavebné konštrukcie ako napr. betónové alebo tehlové steny (Obr. 25 – vľavo) obyčajne lepšie izolujú nízkofrekvenčný hluk než sadrokartónové priečky alebo steny na báze dreva (Obr. 25 – vpravo). Konštrukcie so striedajúcou sa dynamickou tuhosťou ako napr. už spomenutý systém: sadrokartónová stena – vzduchová vrstva s minerálnou vlnou – sadrokartónová stena, sa zase vyznačujú výbornými zvokovoizolačnými vlastnosťami v oblasti stredných frekvencií. Spektrálny priebeh izolačných vlastností, ktorý popisuje stupeň vzduchovej nepriezvučnosti sa teda od konštrukcie ku konštrukcii môže veľmi líšiť. Porovnávanie celého zvukovoizolačného spektra je však pre praktické účely veľmi náročné. Norma 717-1 teda ponúka výpočtovú metódu pre určenie jednočíselnej hodnoty, tzv. indexu vzduchovej nepriezvučnosti R_w prostredníctvom smernej krivky.

Výpočtová metóda predpisuje presný postup, pri ktorom sa štandardizovaná smerná krivka (Obr. 24) posúva v krokoch po 1dB smerom k odmeranému alebo vypočítanému priebehu R (príp. R', D, D_n, D_{nT}) tak, aby sa súčet rozdielov (odchýlok) medzi smernou krivkou a priebehom R (odmeranej v 16-tich tretinooktávových pásmach) čo najviac priblížil k hodnote 32 dB, ale túto hodnotu neprevýšil.

Pozn. do výpočtu sa započítavajú len mínusové hodnoty odchýliek. Keď je táto podmienka splnená, hodnota R_w (dB) sa odčíta pri 500 Hz tak ako je znázornené na Obr. 24 – vpravo.

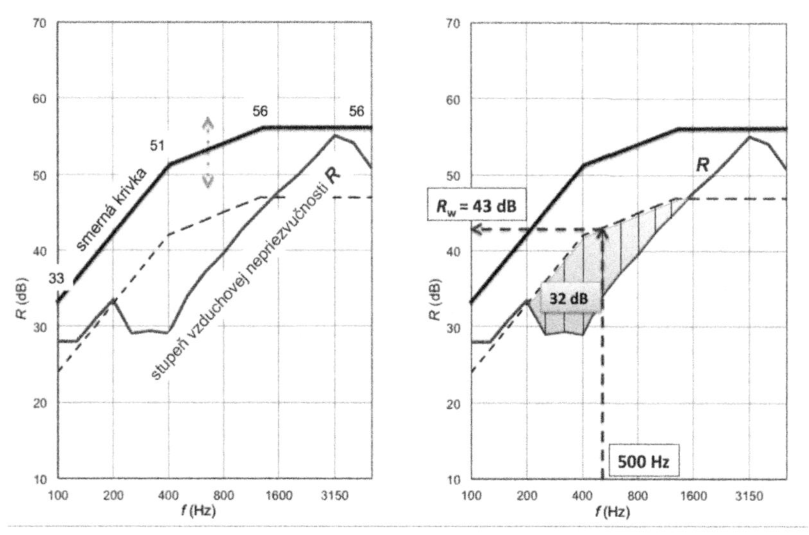

Obr. 24 Schematické zobrazenie určenia jednočíselnej hodnoty indexu vzduchovej nepriezvučnosti R_w (dB) prostredníctvom smernej krivky, na základe odmeraného stupňa vzduchovej nepriezvučnosti R (dB)

Jednočíselná hodnota R_w' sa počíta z R' analogicky ku R_w.

R_w' sa používa najmä v Bulharsku, Chorvátsku, Česku, Dánsku, Estónsku, Fínsku, Nemecku, Grécku, na Islande, Litve, Nórsku, Rumunsku, Srbsku, Slovinsku, Švédsku a v Taliansku. V Rakúsku, Belgicku, Írsku, Portugalsku a Škótsku sa používa najmä jednočíselné hodnotenie prostredníctvom indexu štandardizovanej zvukovej izolácie $D_{nT,w}$, ktoré sa počíta prostredníctvom smernej krivky analogicky ako R_w (Obr. 24).

Na Slovensku a v Litve sú pre merania v budovách akceptované hodnotenia prostredníctvom dvoch veličín: R_w' a $D_{nT,w}$. Vzduchová nepriezvučnosť obvodových plášťov budov na Slovensku musí vyhovovať požadovaným hodnotám podľa STN 73 0532 podľa indexu stavebnej nepriezvučnosti R_w' určeného z meraní pri pôsobení reprodukovaného zdroja alebo z meraní pri pôsobení dopravného hluku. Ak však posudzujeme obvodový plášť so značnou členitosťou (napr. s balkónmi, s lodžiami a pod.) zvukovoizolačné vlastnosti takejto fasády posudzujeme pomocou indexu štandardizovanej zvukovej izolácie $D_{nT,w}$.

Niekedy sú deliace konštrukcie charakterizované prostredníctvom R_w a $D_{nT,w}$ so započítaním C a C_{tr} (z angl. spectrum adaption terms) ako R_w (C; C_{tr}) alebo $D_{nT,w}$ (C; C_{tr}). C a C_{tr} sú adaptačné súčinitele spektra. C sa používa pri posudzovaní vnútorných stien a uvažuje s rovnomerným frekvenčným priebehom (ružový šum). C_{tr} (C-traffic) sa používa pri posúdení obvodových plášťov a striech a uvažuje so spektrom dopravného hluku (angl. traffic noise spectrum) uvedeného v norme CEN/TS 1793-5.

V Maďarsku, Holandsku a v Poľsku platia pre posúdenie zvukovej izolácie kritériá podľa veličiny R_w'+C, v Anglicku a vo Welse sa zvuková izolácia zase hodnotí podľa $D_{nT,w}$ + C_{tr}. Jednočíselné hodnotenie $D_{nT,w}$ + C sa používa napr. vo Francúzsku, Španielsku a vo Švajčiarsku.

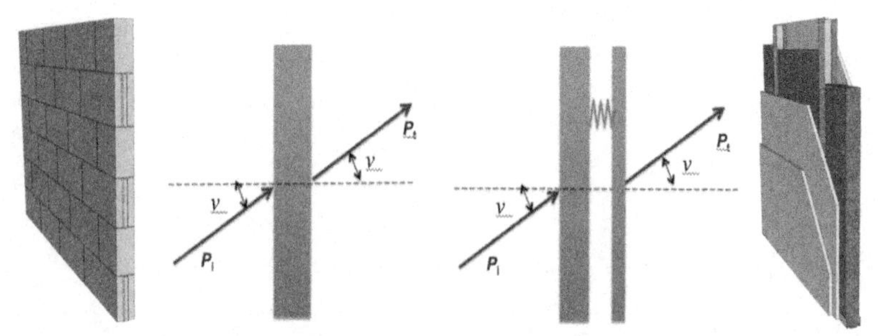

Obr. 25 Príklad akusticky jednoduchej (ťažkej) deliacej konštrukcie – v ľavo a zloženej ľahkej deliacej steny (v pravo)

Na zamyslenie

Iste každého z nás napadne, že i keď je pre rýchle porovnanie produktov spomenuté jednočíselné hodnotenie výhodné, pri hodnotení akustickej pohody je ťažké vychádzať len z parametra, v našom prípade R_w (dB). Keď sa jedná o akustický alebo akýkoľvek iný typ komfortu, je veľmi komplikované jeho kvalitu vyjadriť jednočíselne. I pri vnímaní tzv. pocitovej teploty napokon potrebujeme poznať rýchlosť vetra a vlhkosť vzduchu.

Ako teda ďalej? Potrebujeme poznať celý priebeh alebo nám stačí výsledok? Predstavme si, že futbalový zápas Real Madrid - Slovan Bratislava skončí s výsledkom 0:1. Ak nemáme o zápase žiadne iné informácie okrem jeho jednočíselného vysledku, vieme z určitosťou rozhodnúť ktoré z dvoch mužstiev je vo všeobecnosti lepšie a správne si tipnúť ako bude napr. víťaz zápasu, t.j. Slovan hrať proti Bayern Munchen? Väčšina z nás určite odpovie, že na to aby sme mohli povedať kto hral lepšie, potrebujeme poznať priebeh zápasu ako aj informáciu o tom, za akých podmienok gól padol. Stalo sa tak na základe dobre vymyslenej a natrénovanej akcie? Bola to otázka šťastia? Bol to vlastný gól alebo jedenástka?

Tak isto i pri skutočnom posúdení zvukovej izolácie potrebujeme poznať nielen jej jednočíselnú hodnotu ale aj priebeh stupňa vzduchovej nepriezvučnosti, príp. stanoviť viacero hodnotiacich kritérií.

6 Verba movent, exempla trahunt

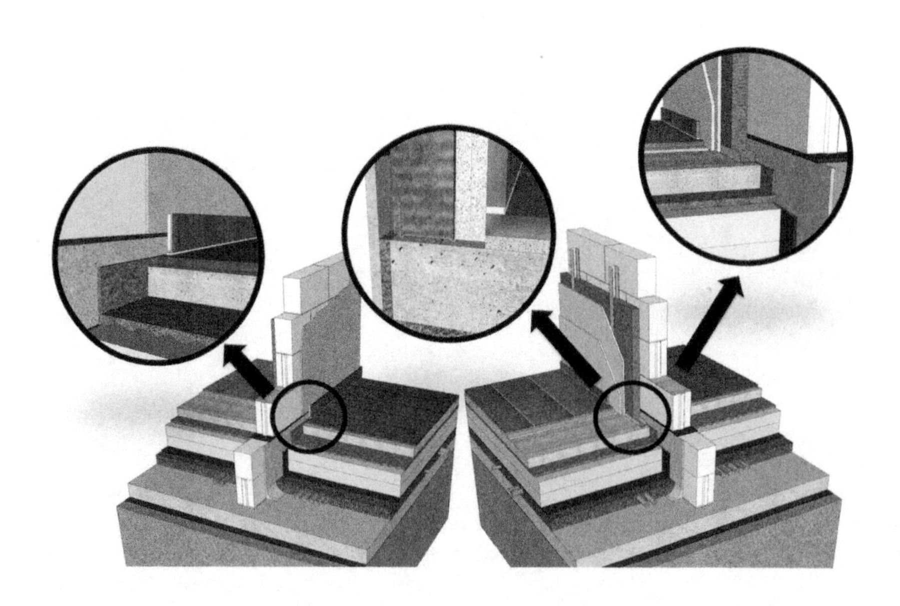

6.1 Perceptuálne porovnanie zvukovej izolácie dvoch odlišných stien s rovnakou jednočíselnou hodnotou

V tejto poslednej kapitole prinášame príklad psychoakustického laboratórneho experimentu so zameraním na subjektívne posúdenie zvukovej izolácie.

Experiment je založený na perceptuálnom posúdení dvoch deliacich stien s rovnakým jednočíselným hodnotením $R_w + C_{50\text{-}5000} = 51$dB, ale podstatne odlišným spektrálnym priebehom stupňa vzduchovej nepriezvučnosti R.

Prvá z dvoch vybraných stien je ľahká sadrokartónová priečka pozostávajúca z dvoch sadrokartónových dosiek hrúbky 12,5 mm o plošnej hmotnosti m\`= 17,7 kg/m², vzduchovej dutiny vyplnenej minerálnou vlnou hrúbky 60 mm a plošnou hmotnosťou m\`= 1,04 kg/m² uloženou medzi hliníkovými profilmi tvaru C, veľkosti 75 mm a znova dvoch sadrokartónových dosiek hrúbky 12,5 mm o plošnej hmotnosti m\`= 17,7 kg/m².

Druhá konštrukcia je murovaná stena na pieskovcovo vápennej báze hrúbky 175 mm s plošnou hmotnosťou m\` približne 305 kg/m² omietnutá z jednej strany.

Priebeh stupňa vzduchovej nepriezvučnosti R oboch stien je znázornený na Obr. 26 – vľavo a priečny rez stenami na Obr. 26 – vpravo.

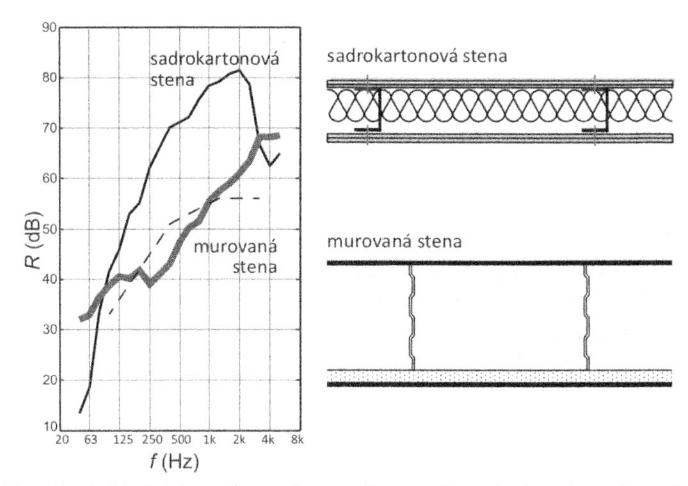

Obr. 26 Priebeh laboratórne odmeraného stupňa vzduchovej nepriezvučnosti R (dB) (vľavo) a ilustrácia konštrukcie dvoch posudzovaných stien (vpravo)

V súvislosti s porovnaním dvoch stien na základe parametra $R_w + C_{50\text{-}5000}$ boli sformulované dve hlavné otázky:

(1) Môžeme pri jednočíselnom hodnotení zvukovej izolácie medzibytových stien uvažovať s ružovým šumom ako s reprezentatívnym zvukovým signálom popisujúcim typický hluk od susedov?

(2) Je použitie váhového filtra „A" pre hodnotenie subjektívneho vnímania hluku od susedov adekvátne?

V prípade prvej otázky vychádzame z hypotézy, že ružový šum je umelý zvukový signál, ktorý sa ako taký v domácnostiach nevyskytuje. Typické aktivity v bytových domoch majú rôzny frekvenčný i časový priebeh. V experimente je preto použité relatívne veľké množstvo (64) rôznych zvukových signálov, založených na reálnych (kalibrovaných) nahrávkach v domácnostiach. Analýza meraní hluku v domácnostiach indikuje, že vo veľmi nízkych frekvenciách hladiny akustického tlaku nedosahujú také vysoké hodnoty, aby sme ich spektrum mohli popísať ružovým šumom. Otázka však znie, či sú tieto rozdiely počuteľné.

Hypotéza v druhej otázke za zakladá na skutočnosti, že váhový filter "A" zodpovedá normalizovanej krivke rovnakej hlasitosti, ktorá má pri 1 kHz, 40 dB (viď Obr. 3). Znamená to, že ak hluk od susedov bude tichší než 40 dB, pri výpočte veličiny $R_w + C_{50\text{-}5000}$ preženieme vnímanú silu zvuku v nízkych frekvenciách. Ak aplikujeme predpoklad parametra $R_w + C_{50\text{-}5000}$ a uvažujeme, že hluk vo vysielacej miestnosti (t.j. u susedov) bude ružový šum s hladinou akustického tlaku 80 dB(A), zistíme, že hladina akustického tlaku v prijímacej miestnosti bude v oboch prípadoch stien (sadrokartónová stena a murovaná stena) rovnaká L = 40 dB(A).

Ak však vypočítame hlasitosť zvuku N (son) v prijímacej miestnosti (v sonoch) zistíme, že hluk bude v prípade murovanej steny vyšší, keďže N = 3 son, pričom v prípade sadrokartónovej len hluk dosiahne len 2 son.

Akokoľvek, krivky rovnakej hlasitosti (ISO 226) boli určené na základe tónových experimentov a nie na základe komplexných zvukov. Veľké množstvo stimulov (64) v našom experimente, s rôznym frekvenčným a časovým priebehom, nám teda pomôže získať novú informáciu.

6.1.1 Stimuly

Zvukové Stimuly použité v posluchových testoch sú založené na nahrávkach z domácností v bytových domoch vo Viedni, v Rakúsku (Muellner a Rychtáriková 2013). Obrázky 29-31 prinášajú akustickú analýzu troch vybraných stimulov použitých v posluchovom teste. Obr. 27 je ukážka stimulu obsahujúceho fragment hudby s veľkou moduláciou v čase, najmä v oblasti nízkych frekvencií. V tomto prípade obe veličiny L_p and N indikujú, že zvuk prefiltrovaný sadrokartonovou stenou dosahuje silnejšie maximá.

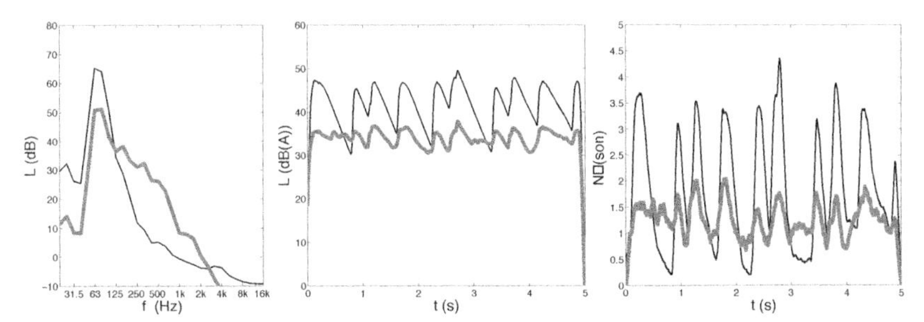

Obr. 27 Analýza zvukového signálu hudby s veľkými variáciami v čase. Celkové frekvenčné spektrum prefiltrované cez dve posudzované steny (obrázok vľavo). Hladina akustického tlaku *L* (dB(A)) v čase (obrázok v strede). Hlasitosť *N* (son) v čase (obrázok vpravo). Hrubou šedou čiarou sú vyznačené priebehy L a N pre murovanú stenu a tenkou čiernou čiarou pre sadrokartonovú

Obr. 28 ilustruje situáciu, v ktorej sú maximá v hladine akustického tlaku rovnaké pre obe steny, avšak podľa parametra hlasitosť by mal byť zvuk filtrovaný murovanou stenou vnímaný ako hlasnejší. Príklad zvukového stimulu, v ktorom sadrokartónová stena izoluje zvuk horšie z hľadiska oboch veličín (ako hladiny akustického tlaku v dB(A) tak i hlasitosti v sonoch) je zvukový záznam katastrofického filmu padajúceho lietadla reprodukovaného prostredníctvom HiFi sústavy so silnými basmi (Obr. 29).

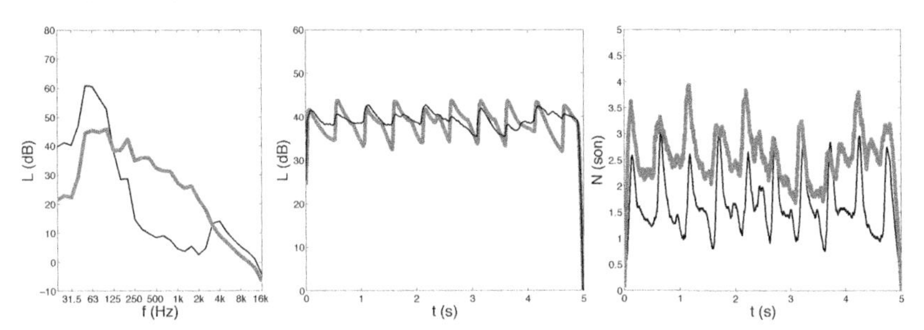

Obr. 28 Analýza zvukového signálu hardrockovej hudby (ACDC) so silnými moduláciami v čase. Celkové frekvenčné spektrum prefiltrované cez dve posudzované steny (obrázok vľavo). Hladina akustického tlaku *L* (dB(A)) v čase (obrázok v strede). Hlasitosť *N* (son) v čase (obrázok vpravo). Hrubou šedou čiarou sú vyznačené priebehy L a N pre murovanú stenu a tenkou čiernou čiarou pre sadrokartonovú

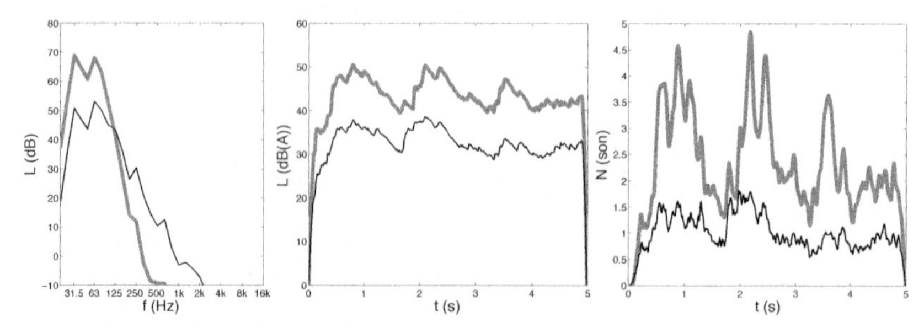

Obr. 29 Analýza fragmentu zvukového signálu zo scény katastrofického filmu so silnými nízkofrekvenčnými komponentmi. Celkové frekvenčné spektrum prefiltrované cez dve posudzované steny (obrázok vľavo). Hladina akustického tlaku *L* (dB(A)) v čase (obrázok v strede). Hlasitosť *N* (son) v čase (obrázok vpravo). Hrubou šedou čiarou sú vyznačené priebehy L a N pre murovanú stenu a tenkou čiernou čiarou pre sadrokartonovú

6.1.2 Posluchový test

Posluchové testy boli uskutočnené psychoakustickou metódou nútenej voľby tzv. two alternative force choice 2AFC (viď kapitola 4.4). Metóda 2AFC bola vybraná z dôvodu, aby sme sa vyhli celému radu problémov popísaných autormi Green a McFadden (1997) a Zwicker a Fastl (1999).

Vzhľadom na veľký počet stimulov a zvolenú metódu, trval v priemere každý test okolo 50 minút. Ľudia však mali dovolené urobiť si prestávku kedykoľvek chceli. V skutočnosti však túto možnosť nikto z testovaných nevyužil. Krátko po posluchovom teste v laboratóriu bol každý participant požiadaný o tzv. krátky feedback, t.j. zhodnotenie testu ako takého. Hodnotenie neprebiehalo na základe vopred pripraveného dotazníka, ale využitá bola tzv. zakotvená teória (angl. grounded theory) (Glaser 1967), ktorá ľudom otvorila moznosť voľne zhodnotiť ich dojem z testu a vyjadriť názor na to čo bolo pre nich podstatné alebo dôležité. Odpovede boli zapísané, zanalyzované a otázky, ktoré otvorilo viacero testovaných osôb sú tiež zahrnuté v analýze dát v tejto kapitole.

Pozn. zakotvená teória je kvalitatívna metóda využívaná najmä v sociológii a využíva sa najmä v predbežných štúdiách pri definovaní výskumných úloh alebo kategórií a niekedy sa sama stáva základom pre novú teóriu (Domecká 2012). Rozhovor obyčajne začína anketár otvorenou, všeobecnou otázkou. V našom prípade sme rozhovor začínali otázkami "Ako sa vám páčil test? Bolo to ťažké?" a pod.

6.1.3 Testované osoby

Testu sa zúčastnilo tridsaťdeväť (39) ľudí (N♀ = 14 and N♂ = 26), z ktorých tridsaťpäť (35) bolo vo veku 20-45 rokov a jedna osoba vo veku 65 rokov. Všetkých 35 poslucháčov bolo normálne počujúcich a neoznámili ani žiadne sluchové problémy počas života. Tri (3) osoby ktoré sa testu zúčastnili mali vážnejšie sluchové problémy. Polovica poslucháčov bolo vo veku od 21 do 25 rokov.

V rámci experimentu boli uskutočnené dva testy (test 1 a test 2) ktoré zodpovedajú otázky 1 a 2 definované v úvode tejto kapitoly.

6.1.4 Test 1

V prvom teste boli zvukové stimuly poslucháčom prezentované prostredníctvom zariadenia listening unit (Obr. 9 - vpravo). Jednotka bola kalibrovaná na zariadení tzv. umelé ucho (anlg. artifficial ear) tak, aby bolo možné prezentovať zvukové stimuly na exaktnej absolútnej hladine akustického tlaku, mimoriadne dôležitej pre tento typ experimentu.

Počas experimentu, bola v anechoickej miestnosti vždy len jedna testovaná osoba, kvôli vylúčeniu akéhokoľvek pozadia hluku spôsobeného niekým alebo niečím iným než testovanou osobou. V samotnom teste boli prezentované vždy dva zvukové stimuly, pričom participant mal za úlohu rozhodnúť a na počítačovej obrazovke zakliknúť, ktorý z dvoch (prezentovaných) zvukov bol hlasnejší. Poslucháči boli oboznámení s tým, že budú počuť zvuky zodpovedajúce hluku od susedov ale nevedeli že porovnávajú vždy dvojicu stien, t.j. zvuk prefiltrovaný cez stenu A a stenu B. Vysvetlenie experimentu prebiehalo tiež v bezdozvukovej komore, čo umožnilo poslucháčovy čas na adaptáciu sluchu v tomto veľmi tichom prostredí.

64 dvojíc zvukových stimulov bolo prezentovaných v náhodnom poradí s jedným opakovaním, pričom každá dvojica bola v teste prezentovaná raz ako A-B a raz ako B-A. Opakovanie a formát A-B a B-A boli dôležité nielen zo štatistického hľadiska, ale aj kvôli vylúčeniu vplyvu poradia zvukov na výsledok testu. Experimenty, v ktorých by bol skúmaný vplyv poradia komplexných zvukov na vnímanie jeho hlasitosti síce zatiaľ v literatúre neboli publikované, ale z prehľadu problematiky je zrejmé, že ak človeku v testoch prezentujeme dva rovnako hlasné tóny, ten obyčajne označí prvý ako hlasnejší (Suzuki a Takeshima 2004).

Výsledky testu boli priebežne ukladané do pamäte počítača a analyzované neskôr.

Výsledky

Výsledky testu 1 boli určené ako percentuálny podiel odpovedí *p* (%), v ktorých bol hluk od susedov vyžiarený sadrokartónovou stenou (oproti murovanej) vnímaný ako hlasnejší. Výsledky preukázali, že v drvivej väčšine prípadov bola sadrokartónová stena (s rovnakou hodnotou $R_w + C_{50\text{-}5000}$ = 51dB) ako murovaná stena zhodnotená ako lepšia izolácia voči hluku od susedov. Výnimkou boli len situácie v ktorých bol prezentovaný hluk padajúceho lietadla v katastrofickom filme prostredníctvom Hi-Fi systému so zosilnenými basmi, kde takmer polovica všetkých opýtaných (41%) a 35% normálne počujúcich označila hluk vyžiarený sadrokartónovou priečkou ako hlasnejší.

Analýza tiež otvorila otázky vnímania hluku ľuďmi rôznych vekových skupín. Človek totiž vekom sluch stráca, pričom jeho strata je často nelineárna. Starší ľudia obyčajne počujú horšie vyššie a stredné frekvencie, pričom vnímanie nízkych frekvencií sa vekom až tak veľmi nemení. Vnímanie širokospektrálneho zvuku (akým je napr. i hluk od susedov) teda určite ovplyvní i kvalita nášho sluchu. Starší ľudia alebo ľudia so sluchovými problémami môžu teda subjektívne zhodnotiť, že daný hluk obsahuje silnejšie basy, než skutočne zvuk objektívne obsahuje.

Otázkou však ostáva, akú referenčnú osobu by technická norma mala zobrať do úvahy. Má to byť mladý 18 ročný človek s bezchybným sluchom, tak ako to je v súčasných normách alebo by sme sa mali lepšie pozrieť na potenciálnych uzívateľov stavebných objektov a upraviť normu berúc do úvahy sluchové schopnosti starnúcej populácie?

6.1.5 Test 2

Aby bolo možné zistiť vplyv váhového filtra A na vnímanie hlasitosti komplexných zvukov (reprezentujúcich hluk od susedov), bol vykonaný test 2, na ktorom sa zúčastnilo dvanásť (12) náhodne vybraných normálne počujúcich osôb. Všetkých 12 osôb sa zúčastnilo i prvého testu.

V teste 1 boli stimuly prezentované na reálnych hladinách akustického tlaku, tak ako by sme ich počuli v domácnostiach a teda vo väčšine prípadov dosahovala hladina akustického tlaku menej než 40 dB. To bolo i hlavným dôvodom, prečo vo väčšine prípadov (v teste 1) participanti posluchového testu vnímali hluk prefiltrovaný murovanou stenou ako hlasnejší.

Z dôvodu skrátenia dĺžky testu, boli pre test 2 vybrané len tie stimuly v ktorých, ľudia v teste 1 aspoň raz určili zvuk filtrovaný cez murovanú stenu ako tichší. V teste 2 potom boli tieto vybrané stimuly prezentované o 30 dB(A) hlasnejšie. Participanti teda hodnotili hluk od susedov pri nereálne vysokých hodnotách medzi 50-70 dB(A).

Obr. 30 prináša výsledky posluchového testu 2 (čiernou) a porovnáva ho z výsledkami testu 1 (šedou). Graf znázorňuje percentuálny podiel odpovedí p (%) dvanástich normálne počujúcich účastníkov experimentu, v ktorých bola hlasitosť zvuku filtrovaného sadrokartónovou priečkou vnímaná ako vyššia.

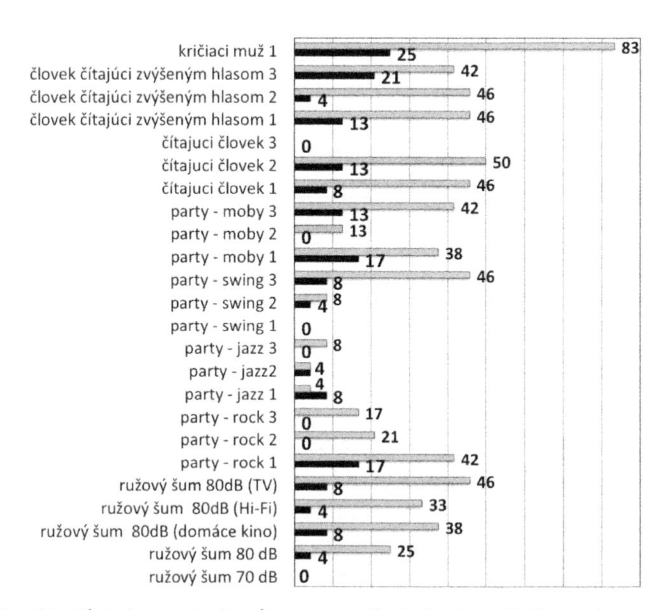

Obr. 30 Výsledky posluchového testu 1 (šedou) a testu 2 (čiernou) uvedené ako percentuálny podiel odpovedí, v ktorých bola hlasitosť zvuku filtrovaného sadrokartónovou priečkou vnímaná ako vyššia.

Výsledky testu 2 potvrdili, že nízke frekvencie sú vnímané ako tichšie pri nižších intenzitách. Použitie váhového filtra A pre hodnotenie veľmi tichých zvukov v decibeloch teda nezodpovedá vnímaniu jeho hlasitosti. Môžeme teda s určitosťou povedať, že pri použití zvukových stimulov v percepčných testoch týkajúcich sa posúdenia hluku od susedov je mimoriadne dôležitá ich prezentácia na exaktnej absolútnej hladine akustického tlaku. Akékoľvek zosinenie signálov, či už kvôli hladine hluku pozadia alebo z iných dôvodov by podstatne skreslilo výsledok testu.

Veľké množstvo experimentov uskutočnených v „tichých" podmienkach namiesto „profesionálne odhlučneného laboratória, alebo nahrávacieho štúdia", alebo experimenty uskutočnené prostredníctvom nevykalibrovaného reprodukčného systému, možno považovať len za informatívne pretože nemajú dostatočnú výpovednú hodnotu.

Experiment tiež ukázal i istý trend v tom, že aj keď krivky rovnakej hlasitosti (ISO 226) boli odvodené pre stimuly založené na čistých tónoch, ich platnosť je pravdepodobne možné rozšíriť i pre vnímanie širokospektrálnych zvukov. Pre úplne potvrdenie nášho záveru by sme však potrebovali test zopakovať na štatisticky väčšej vzorke ľudí.

6.1.6 Záver

Výsledky percepčných testov ukázali, že navrhovaná veličina pre jednočíselné hodnotenie zvukovej izolácie R_w + $C_{50\text{-}5000}$ zodpovedá subjektívnemu vnímaniu zvukovej izolácie len vo veľmi obmedzenom množstve extrémnych situácií (ako napr. v situácii ak by si sused púšťal hudbu so zosilnenými basmi o hladinách akustického tlaku okolo 100-110 dB), pričom v normálnych zvukových podmienkach v budovách nevyhovuje.

Parameter je totiž založený na dvoch chybných predpokladoch, ktorými sú použitie ružového šumu od 50 do 5000 Hz ako reprezentatívneho signálu reprezentujúceho hluk od susedov a použitie váhového filtra „A" pre posúdenie hluku vo veľmi nízkych intenzitách.

Na zamyslenie

Sťažujú sa však obyvatelia bytov naozaj na basy kvôli ich nízkofrekvenčným zložkám, alebo je to preto, lebo bubny a basy prinášajú do hudby určitý rytmus a teda variácie v čase? Príp. ide o kombináciu rôznych javov?

Veľmi nízke frekvencie začíname síce počuť neskôr než stredné frekvencie, avšak ak dosiahnu určitú intenzitu stačí menšie zvýšenie (oproti stredným frekvenciám), aby sme ich začali vnímať ako hlasné. Vysvetlenie je jasné už pri pohľade krivky rovnakej hlasitosti v norme ISO 226, kde vidno, že odstupy v izofónach pri nízkych frekvenciách sú menšie než pri stredných.

Relatívne veľké množstvo doposiaľ publikovaných štúdií bolo zameraných na porovnanie spektrálnej informácie stien a typov hluku (Park a Bradley 2009, Pedersen et al 2012, Hongisto et al 2014, Ordoñez et al 2013, Bailhache et al 2014) avšak otázka vnímania nízkych frekvencií a skutočný dôvod ich rušivosti ostáva otvorená. De Coensel (2009) vo svojej štúdii ukázal ako temporálne rozdiely v amplitúde vplývajú na rušivosť hlukom. Preto je potrebné získať viac informácií o ďalších možných faktoroch ovplyvňujúcich vnímanie hlasitosti a rušivosti hlukom v bytových domoch.

7 Záver

Potreba revízie akustických noriem so zameraním na vzduchovú nepriezvučnosť stavebných konštrukcií bola v posledných rokoch stimulovaná viacerými faktormi. Akustický komfort je totižto ovplyvňovaný množstvom aspektov, medzi ktoré určite patrí aj ustavičný vývoj a zlepšovanie životných podmienok, dostupná technológia a sociálno-kultúrne priority.

Čoraz častejšie navrhovanie ľahkých deliacich stien s častokrát veľmi slabými izolačnými vlastnosťami vo frekvenciách < 100 Hz v bytových domoch, výskyt nových zdrojov zvuku v domácnostiach (klimatizačné jednotky produkujúce zvuk s tonálnymi komponentmi, Hi-Fi veže a domáce kiná so silnými basovými reproduktormi a pod), produkujúcich vyššie hladiny hluku, najmä v nízkych frekvenciách, otvoril nové otázky týkajúce sa jednočíselného hodnotenia zvukovej izolácie prvkov.

Prepočet kompletnej spektrálnej zvukovoizolačnej informácie stavebného prvku, známej ako stupeň vzduchovej nepriezvučnosti, do jednočíselnej hodnoty však nie je triviálny. Novonavrhované parametre sú z časových a finančných dôvodov často výsledkom kompromisu, lobizmu alebo hlasovania expertov na mítingu, pritom často nie sú podložené dokončeným alebo dostatočne patričným výskumom.

Vnímanie zvuku človekom je veľmi komplexný proces, ktorý len veľmi ťažko, ak vôbec, dokážeme simulovať. Overenie novonavrhovaných akustických veličín v stavebnej akustike prostredníctvom psychoakustických testov má preto svoje veľké opodstatnenie. Investícia času a financií do výskumu v oblasti zdokonalenia akustickej simulácie, vývoja lepších a presnejších metód merania ako aj kvalitnej auralizácie, a zároveň podpora spolupráce medzi akustikmi, inžiniermi, architektmi, psychológmi, sociológmi a audiológmi by mala byť určite zahrnutá do jedného z cieľov výskumu v EU.

Poďakovanie

Poďakovanie patrí mojej rodine, kolegom a priateľom, ktorí mi počas výskumu v oblasti psychoakustických testov v stavebnej akustike pomohli cennou radou, nápadom či povzbudením. Za pripomienky a starostlivé prehliadnutie rukopisu ďakujem najmä môjmu otcovi Štefanovi Rychtárikovi.

Zoznam použitej literatúry

[1] Adam P. (2006): Úvod do metód spracovania zvuku v súčasnom multimediálnom prostredí. Diplomová práca, Fakulta Matematiky a informatiky, Katedra aplikovanej matematiky, UK Bratislava.

[2] Akeroyd M.A., Chambers J., Bullock D., Palmer A.R., Summerfield A.Q., Nelson P.A., Gatehouse S. (2007): The binaural performance of a cross-talk cancellation system with matched or mismatched setup and playback acoustics, Journal of the Acoustical Society of America 121, 2007, 1056-1069.

[3] Bai M.S.R., Lee C.C. (2006): Development and implementation of cross-talk cancellation system in spatial audio reproduction based on subband filtering, Journal of Sound and Vibration 290, 1269-1289.

[4] Baird J.C. a Noma E. (1978): Fundamentals of scaling and Psychophysics. J. Wiley & Sons, New York.

[5] Bech S. (1992): Selection and Training of Subjects for Listening Tests on Sound-Reproducing Equipment, J. Audio Eng. Soc. 40 No. 7/8 1992.

[6] Bess F.H. a Humes L.E. (1995): Audiology. The fundamentals. Williams and Wilkins.

[7] Bismark G.V. (1974): Sharpness as an attribute of the timbre of steady sounds, Acustica 30, 159-172.

[8] Bijsterveld K. (2008): Mechanical sound: Technology, culture and public problems of noise in the twentieth century. Cambridge MA: The MIT Press.

[9] Bond T.G., Fox Ch.M. (2007): Applying The Rasch Model, Fundamental Measurement in the Human Sciences, 2nd ed. Routledge Taylor & Francies Group, New York.

[10] Bostrom R. N. (1996): Memory, Cognitive Processing, and the Process of "Listening" A Reply to Thomas and Levine. Human Communication Research, 23 (1996) 298–305.

[11] Bradley R.A. (1976): Science, Statistics and Paired Comparisons. Biometrics 32, 213-240.

[12] Brunskog J., Hwang H.D., Jeong Ch.H. (2011): Subjective response to foot-fall noise, including localization of the source position Acta Acustica united with Acustica 97, 904-908.

[13] Cambell R.A. (1963): Detection of a noise signal of varying duration. J. Acoust. Soc. Am. 39, 467-477.

[14] Chalupper J., Fastl H. (2002): Dynamic Loudness Model (DLM) for Normal and Hearing-Impaired Listeners, Acta Acustica united with Acustica, 88 378 – 386.

[15] Cohen J. (1988): Statistical Power Analysis for the Behavioral Sciences, 2nd ed., Lawrence Erlbaum, New York. Publication Manual of the American Psychological Association, 5th ed. (2001), Washington.

[16] Dai H. (1995): On measuring psychometric functions: A comparison of the constant-stimulus and adaptive up-down methods. J. Acoust. Soc. Am. 98, 3135-3140.

[17] David H.A. (1963): The method of paired comparisons. Griffin: London.

[18] Diaz-Merced W. L., Candey R. M., Brickhouse N., Schneps M., Mannone J.C., Brewster St., Kolenberg K. (2012): Sonification of Astronomical Data, New Horizons in Time-Domain Astronomy, Proceedings of the International Astronomical Union, IAU Symposium 285, 133-136.

[19] Domecka M., Eichsteller, M., Karakusheva S., Musella P., Perone L.O.E., Pickard D., Schröder-Wildhagen A., Siilak K. a Waniek K. (2012): Method in Practice: Autobiographical Narrative Interviews in Search of European Phenomena in "The Evolution of European Identities: Biographical Approaches", eds. Robert Miller and Graham Day, Palgrave Macmillan, 21-44.

[20] Engen T. (1972): Scaling Methods. In "Woodworth and Schlosberg's experimental psychology", 1, Holt, Rinehard and Winston, New York.

[21] Frič M. (2013): Objektivní a psychoakustické aspekty hodnocení lidského hlasu. Disertační práce. Fakulta elektrotechnická, ČVUT Praha.

[22] Genuit K. (2007): Tiefe Frequenzen sind nicht gleich tiefe Frequenzen-Tieffrequente Geräuschanteile und deren (Lärm)Wirkungen. Proceedings of DAGA, Stuttgart, Germany.

[23] Gerrig R., Zimbardo P. G. (2010): Introduction to psychology : Psychology of life. Boston, Allyn&Bacon.

[24] Giussani, L. (1999): Nekonečno v nás, Vydavateľstvo Lúč.

[25] Glaser B.G., Strauss A.L. (1967): The Discovery of Grounded Theory: Strategies for Qualitative Research, Transaction Publishers.

[26] Green D. M., McFadden D (1997): Psychological Acoustics. In M. J. Crocker (Ed.), Encyclopedia of Acoustics, Volume III. John Wiley & Sons, Inc New York.

[27] Greene J.O. (1988): Cognitive Processus: Methods for Probing Its Black Box. In *A Handbook for the Study of Human Communication.* Ed. Charles H. Tardy. Norwood, NJ: Ablex, 37-65.

[28] Grimm G., Hohmann V., Verhey J.L. (2002): Loudness of Fluctuating Sounds, Acta Acustica united with Acustica 88 359-368.

[29] Guildford J.P. (1954): Psychometric methods. McGraw-Hill, New York, London.

[30] Guski R. (1997): Psychological methods for evaluating sound quality and assessing acoustic information, Acta Acustica, 83, 765-774.

[31] Hall J.L. (1981): Hybrid adaptive procedure for estimation of psychometric functions. J. Acoust. Soc. Am. 69, 1763-1769.

[32] Hartmann W. M. (1999): How We Localize Sound, Physics Today, 24-29.

[33] Hellbrück J., Ellermeier W., Kohlrausch A., Zeitler A. (2008): Kompendium zur Durchführung von Hörversuchen in Wissenschaft und industrieller Praxis. Deutsche Gesellschaft für Akustik e.V.

[34] Hongisto V., Keränen J., Kylliäinen M., Mahn J. (2012): Reproducibility of the present and the proposed single-number quantities of airborne sound insulation, Acta Acustica united with Acustica 98, 811-819.

[35] Hongisto V., Oliva D., Keränen J. (2013a): Disturbance caused by airborne living sounds heard through walls – preliminary results of a laboratory experiment paper 849, Internoise 2013, 15-18 September, Innsbrück, Austria.
[36] Hongisto V., Oliva D., Keränen J. (2013b): How standardized single-number ratings of airborne sound insulation predict subjective perception of various living sounds?, submitted in: J. Acoust. Soc. Am., December, 2013.
[37] Hongisto V., Oliva D., Keränen J. (2014): Subjective and Objective Rating of Airborne Sound Insulation–Living Sounds, Acta Acustica united with Acustica 100, 848-863.
[38] Horvat M., Jambrošić, K., Domitrović H. (2012a): Examination of required signal-to-noise margin in laboratory subjective evaluation of sound insulation, In Proceedings of AAAA2012, Petrčane – Croatia
[39] Horvat M., Jambrošić K., Domitrović H. (2012b): Suitability of 3D Sound Reproduction and the Influence of Background Noise on Subjective Assessment of Sound Insulation, In Proceedings of the Euronoise 2012, Prague, Czech rep.
[40] Lang J. (2006): Sound Insulation in Housing Construction. University of Technology, Vienna.
[41] Jeon J. Y., Jeong J. H., Vorländer M., Thaden R. (2004): Evaluation of floor impact sound insulation in reinforced concrete buildings, Acta acustica united with Acustica 90, 313-318.
[42] Leventhall H. G. (2004): Low frequency noise and annoyance, Noise Health 6, 59-72.
[43] Levitt, H. (1971): Transformed Up.Down Methods in Psychoacoustics. J. Acoust. Soc. Am. 49, 467- 477.
[44] Levitt H.: (1978): Adaptive testing in audiology. Scand. Audiol. Suppl. 6, 1978.
[45] Lievens M., Höller C., Dietrich P., Vorländer M. (2014): Predicting the Interaction Between Structure-Borne Sound Sources and Receiver Structures from Independently Measured Quantities: Case Study of a Washing Machine on a Wooden Joist Floor, Acta Acustica united with Acustica 100, 79-92.
[46] Luce R.D. (1959): Individual choice behaviour: A theoretical analysis. Wiley, New York.
[47] Mathys J. (1993): Low-frequency noise and acoustical standards. Applied Acoustics 40, 185-199.
[48] Muellner H., Rychtáriková M. (2013): Empirical evaluation of the contemporary living noise spectrum in multi-family houses – a preliminary study. Proceedings Internoise 2013 Innsbruck, Austria.
[49] Mojžiš M. (2012a): Jeden výdych koňa. Veda z časopisu Týždeň, Wpress 2012.
[50] Montgomery D.C. (2001): Design and Analysis of Experiments, Arizona State University, John Wiley & Sons Inc.
[51] Mortensen F.R. (1999): Subjective evaluation of noise from neighbours with focus on low frequencies. Main report, Publication no 53, Department of Acoustic Technology, Technical University of Denmark.

[52] Myers J.L., Well A.D. (2003):Research Design and Statistical Analysis, 2nd ed. Lawrence Erlbaum, Mahwah, New Jersey.

[53] Ordoñez R., Visentin C., Marković M., Fausti P. (2013): Objective and subjective evaluation of façade sound insulation, In Proceedings of Internoise 2013, 15-18 September 2013, Innsbruck, Austria.

[54] Pedersen T. H. (2001): Impulsive noise – Objective method for measuring the prominence of impulsive sounds and for adjustment of L_{Aeq}, In proceedings of Internoise 2001.

[55] Pedersen D. B., Roland J., Raabe G., Maysenhölder W.: Measurement of the low-frequency sound insulation of building components. Acta Acustica united with Acustica 86 (2000) 495–505.

[56] Pedersen T.H., Antunes S., Rasmussen B. (2012): Online listening tests on sound insulation of walls – A feasibility study, In proceedings of Euronoise 2012.

[57] Pelzer S., Masiero B., Vorländer M. (2011): 3D reproduction of room acoustics using a hybrid system of combined crosstalk cancellation and ambisonics playback, In Proceedings of ICSA 2011, HfM Detmold, Hochschule für Musik.

[58] Poulsen T. (2007): Psychoacoustic Measuring methods. Lecture note no. 31230-08, Version 2.3, September 2007, Oersted DTU Acoustics Technology.

[59] Rasmussen B.: Sound classification of dwellings – Quality class ranges and intervals in national schemes in Europe, Proceedings Euronoise (2012), Prague.

[60] Rasmussen B., Rindel J. H. (2010): Sound insulation between dwellings – Descriptors applied in building regulations in Europe. Applied Acoustics 71, 171-180.

[61] Riečanová I. (2013): Metóda okrajových prvkov a jej využitie pri akustických simuláciách. In Advances in Architectural, Civil and Environmental Engineering: 23rd Annual PhD student conference. Stavebná fakulta STU v Bratislave, 51-55.

[62] Riečanová I. (2015): Finite Volume Method Scheme for the Solution of Helmholtz equation. In APLIMAT 2015: 14th conference on applied mathematics. Bratislava, Strojnícka fakulta STU.

[63] Rindel J.H. (1999): Acoustic quality and sound insulation between dwellings. Journal of Building Acoustics 5 291-301.

[64] Rindel J.H. (2003): On the influence of low frequencies on the annoyance of noise from neighbours, Proceedings Internoise, Seogwipo, Korea.

[65] Rindel J.H. (2004): Evaluation of room acoustic qualities and defects by use of auralisation, In Proceedings of the 148 th Meeting of the Acoustical Society of America, San Diego, CA, 15-18 November 2004.

[66] Rindel J.H. (2008): Modelling Airborne Sound Transmission between Coupled Rooms, In Proceedings of the Joint Baltic-Nordic Acoustics Meeting, 17-19 August 2008, Reykjavik, Iceland.

[67] Robinson D. W. (1953): The relation between the sone and phon scales of loudness, Acustica 3, 344 –358.

[68] Robinson D. W. (1957): The subjective loudness scale, Acustica 7, 217–233.

[69] Robinson, D. W., and Dadson, R. S. (1956) "A re-determination of the equal-loudness relations for pure tones," Br. J. Appl. Phys. 7, 166 –181.

[70] Roonasi R. (2003): Sound Quality Evaluation of Floor Impact Noise Generated by Walking, masters thesis, Lulea University of Technology 2003.

[71] Roozen, B., Muellner, H., Labelle, L., Rychtarikova, M., Glorieux, C. (2015): Influence of panel fastening on the acoustic performance of light-weight building elements: study by sound transmission and laser scanning vibrometry. *Journal of Sound and Vibration* 346, 100-116.

[72] Roozen N.B., Labelle L. Rychtáriková M, Glorieux C. (2015): Determining radiated sound power of building structures by means of Laser Doppler vibrometry, Journal of Sound and Vibration 345, 81-99.

[73] Rost J. (1996): Lehrbuch Testtheorie, Testkonstruktion. Verlag Hans Huber, Bern.

[74] Rychtárik J. (2010): Možnosti a limity viktimačného výskumu : diplomová práca. Bratislava: Univerzita Komenského v Bratislave.

[75] Rychtarikova M., Van den Bogaert T., Vermeir G., Wouters J. (2009): Binaural Sound Source Localization in Real and Virtual Rooms, Journal of the Audio Engineering Society 57, 205-220.

[76] Rychtáriková M., Vermeir G., Vorländer M. (2010): Laboratory Listening Tests in Building and Room Acoustics, in proceedings of European Symposium Harmonization of European Sound Insulation Descriptors and Classification Standards, Florence, December 14th 2010.

[77] Rychtarikova M, Van den Bogaert T, Vermeir G, Wouters J. (2011): Perceptual Validation of Virtual Room Acoustics: Localization and Speech Understanding. Applied Acoustics 72, 196-204.

[78] Rychtáriková M., Mülner H., Stani M., Chmelík V., Glorieux C. (2012a): Does the living noise spectrum adaptation of sound insulation match the subjective perception? In Proceedings of the Euronoise 2012, Prague, Czech rep.

[79] Rychtáriková M., Herssens J., Heylighen A. (2012b): Towards more inclusive approaches in Soundscape research. The soundscape of blind people: In Proceedings of Internoise 2012, New York.

[80] Rychtáriková M., Müllner H., Urbán D., Chmelík V., Roozen N.B., Glorieux C. (2013): Influence of temporal and spectral features of neighbour's noise on perception of its loudness. Proceedings of Internoise 2013, Innsbruck, Austria.

[81] Rychtáriková M., Vermeir G. (2013): Use of Psychoacoustical Parameters for Soundscape Categorization. Applied Acoustics 74(2), 240-247.

[82] Scharf B. (1961a): Complex Sounds and Critical Bands, Psychological Bulletin 58 (3), 205-217.

[83] Scharf B. (1961b): Loudnes Summation under Masking, J. Acoust. Soc. Am. 33 (4), 503-511.

[84] Schiffman S.S., Reynolds M.L., Young W.F. (1981): Introduction to multidimensional scaling. Academic Press.

[85] Schlittmeier S. J., Hellbruck J. (2009): Background Music as Noise Abatement in Open-Plan Offices: A Laboratory Study on Performance Effects and Subjective Preferences, Applied Cognitive Psychology 23, 684-697.

[86] Scholl W., Lang J., Wittstock V. (2011): Rating of Sound Insulation at Present and in Future. The Revision of ISO 717. Acta Acustica united with Acustica 97, 686-698.

[87] Stevens S. S. (1953): On the brightness of lights and loudness of sounds, Science 118, 576.

[88] Stevens S. S. (1955): 'The measurement of loudness, J. Acoust. Soc. Am. 27, 815– 829.

[89] Stevens S. S. (1957): On the psychophysical law, Psychol. Rev. 64, 153–181.

[90] Stevens, S. S. (1959): Tactile vibration: Dynamics of sensory intensity, J. Exp. Psychol. 59, 210–218.

[91] Stevens S.S., Poulton E.C. (1956): The estimation of loudness by unpracticed observers Journal of Experimental Psychology 51 (1), 71-78.

[92] Stone H. a Sidel J.L. (1993): Sensory evaluation practices, Academic Press.

[93] Strutt J.W. (1907): On our perception of sound direction, Philos. Mag. 13, 214-232.

[94] Susini P., McAdams S., Smith B.K. (2007): Loudness Asymmetries for Tones with Increasing and Decreasing Levels Using Continuous and Global Ratings, Acta Acustica united with Acustica 93, 623-631.

[95] Suzuki Y., Takeshima H. (2004): Equal-loudness-level contours for pure tones, Journal of the Acoustical Society of America 116, 918 –933.

[96] Thorsson P. (2013): Laboratory listening tests on footfall sounds: AkuLite Report 7, Report 2013:5, Department of Civil and Environmental Engineering, Chalmers University of Technology, År 2013, ISSN 1652-9162

[97] Tomašovič P., Rychtáriková M., Dlhý D., Gašparovičová V. (2010): Akustika budov. Priestorová akustika. Publisher STU Bratislava Slovakia.

[98] Tomašovič P., Dlhý D., Rychtáriková M., Gašparovičová V. (2009): Akustika budov. Stavebná a urbanistická akustika. Publisher STU Bratislava, Slovakia.

[99] Tversky D. Kahneman (1982): Belief in the law of small numbers. In D. Kahneman, P.Slovic, A. Tversky (Eds.) udgment under uncertainty: Heuristics and biases, 23-31. Cambridge University Press, New York.

[100] Vorlander M; Thaden R. (2000): Auralisation of airborne sound insulation in building, Acustica 86, 70-76.

[101] Vorländer M. (2006): Auralization in Acoustics, In Proceeding of the Acoustics - High Tatra, Štrbské Pleso, Plenary Lecture.

[102] Vorländer M. (2008): Auralization: Fundamentals of acoustics, modelling, simulation, algorithms and acoustic virtual reality. RWTH edition, Springer Verlag, 2008.

[103] Waye K.P. (2004): Effects of low frequency noise on sleep. Noise Health 6, 87-91.

[104] Waye K.P. (2006): Health aspects of low frequency noise. Proceedings of Internoise 2006, Honolulu, Hawaii, USA.
[105] Whittle L.S., Collins S.J., Robinson D.W. (1972): The audibility of low frequency sounds, J. Sound Vib. 21, 431–448
[106] Zwicker E., Fastl H. (1999): Psychoacoustics – Facts and Models, 2nd Edition. Springer-Verlag, Berlin Heidelberg New York.
[107] ANSI S3.4-2007. Procedure for the computation of loudness of steady sounds, American National Standards Institute, New York.
[108] IEC 60268-16: Sound system equipment. Part 16: Objective rating of speech intelligibility by speech transmission index. 2003.
[109] ISO 226:1985 a ISO 226:2003. Acoustics-Normal equal-loudness level contours.
[110] ISO 532B Acoustics - Method for calculating loudness level, 1975.
[111] ISO Recommendation R 717:1968 Rating of Sound Insulation for Dwellings.
[112] ISO 717-1:1982 Acoustics - Rating of sound insulation in buildings and of building elements - Part 1.
[113] ISO 717-1:1996 Acoustics - Rating of sound insulation in buildings and of building elements - Part 1: Airborne sound insulation.
[114] ISO 717-1:1996 + AM1: 2006 Acoustics - Rating of sound insulation in buildings and of building elements - Part 1: Airborne sound insulation.
[115] ISO 717-1: 2013 Acoustics - Rating of sound insulation in buildings and of building elements - Part 1: Airborne sound insulation.
[116] ISO/TC 43/SC 2 N 1100. NWIP / ISO 16717-1 Acoustics – Evaluation of sound insulation spectra by single numbers – Part 1: Airborne sound insulation.
[117] ISO 3382: Acoustics - Measurement of the reverberation time of rooms with reference to other acoustical parameters. International standard. 1997.
[118] ISO 8253-1, (1989): Acoustics - Audiometric test methods - Part 1: Basic pure tone air and bone conduction threshold audiometry.
[119] ISO/CD2 1996-2. Acoustics - Description, measurement and assessment of environmental noise – Part 2: Determination of environmental noise levels, Annex C – Objective method for assessing audibility of tones in noise
[120] ISO/TC 43/SC 2 N 1100: NWIP. ISO 16717-1. Acoustics - Evaluation of sound insulation spectra by single-numbers - Part 1: Airborne sound insulation.
[121] ISO/TS 15666:2003. Acoustics - Assessment of noise annoyance by means of social and socio-acoustic surveys.
[122] NT ACOU 111, 2002-05. Acoustics: Human sound perception – Guidelines for listening tests. The Nordtest method.
[123] STN 73 0532:2013-01. Akustika. Hodnotenie zvukovoizolačných vlastností budov a stavebných konštrukcií. Požiadavky.
[124] e-book - COST FP 0702 Net-Acoustics for Timber based Lightweight Buildings and Elements (2012).
[125] e-book Building acoustics throughout Europe: Volume 1: Towards a common framework in building acoustics throughout Europe. Eds: Maria Machimbarena and Birgit Rasmussen. Publication supported by COST.

Printed in Great Britain
by Amazon